KB057062

이상문학상 대상 작가를 말한다

■ 일러두기

이 도서에 실린 글은 역대 이상문학상 대상 수상 작가들이 대상을 수상한 그해, 동료 작가가
대상 수상 작가에 대해 쓴 '작가가 본 작가'입니다. 《이상문학상 작품집》에 수록되어 있으며,
대상 수상 작가들의 인간적인 면모와 작품 세계를 엿볼 수 있는 글을 시대의 흐름에 맞게 편
집하여 한 권의 책으로 발행합니다.

이상문학상 대상 작가를 말한다

김미현 · 이순원 · 하응백 외 17인 지음

문학사상

작가·비평가가 본
이상문학상 대상 작가들

권영민(문학평론가, UC 버클리 겸임교수)

가장 빛나는 별이 받는 이상문학상

이상문학상은 한국문단에서 해마다 신년 벽두에 치르는 가장 중요한 이벤트 중의 하나이고, 이제는 공공적인 문단 제도로 그 권위를 인정받고 있다. 이상문학상이 독자 대중의 꾸준한 관심과 지지를 얻으며 우리 문단의 중심에 자리하게 된 것은, 무엇보다 우리 작가들의 문학적 성취에 힘입은 바 크다. 우리 문단의 빛나는 별이 작가라면 그 별을 향하여 드리는 영예가 바로 이상문학상이기 때문이다.

이상문학상은 한 작가의 문학 활동 전반을 조사 평가하여 드리는 공로상이 아니다. 매년 일 년 동안 발표된 중·단편소설을 심사 대상으로 하여 가장 탁월하다고 인정되는 작품들을 심사위원회에서 선정하여 시상한다. 이상문학상 대상 수상 작가에 대한 비평적 논의가《이상문학상 작품집》에서 중요한 위치를 자리하게 되는 것은 물론이다.

 2000년대 초에 북한 문학자들과의 비공개 간담회에 내가 대표로 참석한 적이 있다. 일본 도쿄 소재 와세다대학에서 열렸던 그 간담회에 참석한 북한 측 인사들은 그 이름이 널리 알려진 소설가, 시인, 교수 등이었다. 당시 간담회 자체를 비공개로 하고 그 내용을 외부에 알리지 않기로 했기 때문에 자세하게 소개할 순 없지만 그분들이 나를 처음 만나 인사를 나눈 뒤에 가장 먼저 질문한 것이 바로 이상문학상이었다. 그분들은 모두 이상문학상을 대한민국 정부가 운영하는 문학상으로 알고 있었다. 최인호, 오정희, 이문열, 윤후명 등 수상 작가 소설도 모두 읽었다고 했다. 내가 문예지《문학사상》과 이상문학상의 운영에 대해 좀 자세하게 설명을 했지만 그분들은 민간에서 운영하는 문학상이 어떻게 그렇게 오랫동안 권위를 유지하면서 많은 독자들의 관심을 끌고 있는지 궁금해했다. 나는 매년 가장 뛰어난 소설적 성과로 새롭게 평가받을 수 있는 작가들의 작품을 공정한 심사 과정을 거쳐 선정하기 때문이라고 설명했던 기억이 난다.

대상 수상 작가의 작가론

이상문학상은 그 심사 과정이 복잡하다. 이상문학상 운영위원회의 이름으로 문학 교수 · 평론가 · 작가 · 문예지 편집장 · 언론 기관 문학 담당 기자 등 약 1백 명에게 이상문학상 후보작의 추천을 의뢰한다. 여기서 후보작의 윤곽이 드러난다. 추천위원들로부터 가장 많은 추천을 받은 작품 순으로 후보작을 정하기 때문이다. 이 단계에서 일반 독자를 대상으로 한 앙케트 조사 결과도 추천 작품 선정에 참고한다.

이상문학상의 본심 심사위원은 매년 5~7인으로 구성한다. 후보작으로 선정되는 작품은 대개 15~20편 정도다. 본심의 심사위원으로 위촉된 분은 심사 참여 자체를 비밀로 하고 약 3주 정도 전체 후보작을 정독한 후 본심에 참여한다. 본심에서는 전체 토론과 1차 투표 그리고 2차 투표로 대상 수상작과 우수상 수상작을 선정한다. 이렇게 복잡한 단계를 거치는 이유는, 무엇보다도 최고의 작품을 수상작으로 선정하기 위한 것이며 선정 과정의 공정성을 유지하기 위해서다.

대상 수상작과 우수상 수상작이 확정되면 곧바로 《이상문학상 작품집》의 제작에 착수한다. 이 단계에서 가장 애를 먹는 것이 이상문학상 수상 작가에 대한 비평적 성격의 논의를 독자에게 제공하는 '대상 수상 작가의 작가론'이다. 원고 작성을 위해 주어지는 시간도 짧은데다가 많은 독자와 만나게 되는 글이기 때문에 대개의 비평가들이나 작가들이 망설인다.

작가와의 대화

작가론은 비평가와 작가의 대화라고 생각할 때 가장 편하게 읽힌다. 작가론을 쓰는 비평가는 적절하게 호흡을 맞추고 작가의 숨겨진 내면을 들여다보면서 묻고 싶은 것을 묻고 꼬집어 내고 싶은 것을 지적한다. 작가의 대답은 물론 작품 자체에서 찾아야 한다. 작품 속에서 작가의 대답을 찾지 못한다면 편안하게 읽어나갈 수 있는 글이 되기 어렵다. 이런 경우 눈치 빠른 독자들은 비평가와 작가 사이에 가로놓여 있는 간격과 긴장 상태를 헤아리기도 하면서 그것이 비평적 관점의 문제인지 방법의 문제인지를 헤아린다. 물론 작가는 끊임없이 비평가가 던지는 방법의 그물에 걸려들지 않으려고 할 가능성이 많다.

가장 활동적인 작가에 대한 작가론은 그 방향을 제대로 잡기가 결코 쉽지 않다. 그러므로 살아 있는 작가에 대한 작가론 자체를 인정하지 않으려는 경향도 있다. 아무리 그럴싸한 논리로 작가의 세계를 그려놓는다 하더라도 뛰어난 작가는 언제나 늘 자신의 위치를 바꾸려고 하기 때문이다. 어떤 하나의 틀에 스스로를 가두어두려는 작가는 아무도 없다.

《이상문학상 작품집》이 나오면 나는 언제나 대상 작가의 '문학적 자서전'과 '작가론'을 가장 먼저 펼친다. 심사 과정에서 혹시 놓친 부분이 있는지를 확인하는 것도 중요하지만, 가장 활동적인 작가와 그 작가를 자기 논리의 틀 속으로 끌어들이려는 비평가의 씨름이 재미있기 때문이다.

이번에 펴내는 책 속의 글이 실린 순서를 따라갈 경우, 비평가 가운데는 안서현, 차미령, 이현식, 손정수, 정홍수, 박철화, 김종욱, 하응백, 우찬제, 최성실, 김미현 씨 등의 글이 있다. 비평가의 작가론은 비평적 틀을 내세우며 작가의 세계를 논리화한다. 하지만 소설가와 시인과 수필가가 쓴 작가론은 창작의 길에서 함께 보아온 작가의 숨겨진 구석을 들춰내 보이는 사적 글쓰기의 특징이 담겨 있다. 소설가 이순원, 윤성희, 송영, 염승숙, 서영은, 최은미 씨 등의 글에서 느껴지는 동료에 대한 따뜻한 사랑과 격려가 참으로 아름답다. 시인으로는 장승리 씨와 유형진 씨가 있고 수필가 심정섭 씨의 글도 포함되어 있다.

그런데 이들 모두가 우리 작가들에 대한 빛나는 상찬賞讚으로만 끝나지 않는다는 점이 주목된다. 우리 독자들도 이를 눈치챌 수 있을 것으로 생각한다.

차례

차례

이상문학상
대상 작가를
말한다

문학에 새겨진
공지영이라는 작가

문학평론가 안서현

공지영이라는 이름은 그 자체로 하나의 징후였고, 현상이었고, 열풍이었고, 지금은 신화가 되었다.

단편 〈동트는 새벽〉(1988)으로 등단한 이후 장편《더 이상 아름다운 방황은 없다》(1989), 장편《그리고, 그들의 아름다운 시작》(1991), 장편《무소의 뿔처럼 혼자서 가라》(1993), 장편《고등어》(1994), 소설집《인간에 대한 예의》(1994), 장편《착한 여자》(1997), 장편《봉순이 언니》(1998), 소설집《존재는 눈물을 흘린다》(1999), 소설집《별들의 들판》(2004), 장편《우리들의 행복한 시간》(2005), 장편《사랑 후에 오는 것들》(2005), 장편《즐거운 나의 집》(2007), 장편《도가니》(2009) 등 쉴 새 없이 작품을 발표하고, 그때마다 큰 대중적 성공을 거둔 그녀의 문학적 이력은 길고 화려하다.

공지영은 눈부신 자기 변모를, 그리고 때로는 뼈아픈 자기 쇄신을 거쳐 온 작가다. 따라서 그녀의 작가적 행보에 있어서 연속과 단절의 동시적 계기로 자리 잡고 있는 '1980년대'로 다시 거슬러 올라가, 그녀가 어떠한 지점에서 이 시절을 끌어안고 있으며, 또 어떠한 지점에서 그 시대를 넘어서고 있는지를 추적해보는 것은 중요하다. 그녀의 문학적 궤적은 그 안에 '1980년대'라는 자신의 기원을 들여다보는 '회귀', 그 시대를 보존하고 지켜나가고자 하는 '상속', 그 시대로부터 계속해서 벗어나고자 하는 '변모'의 드라마를 내장하고 있기 때문이다.

회귀: 1980년대라는 기원으로

공지영의 문학은 주지하다시피 1960년대에 태어나 1980년대 초반에 대학에 입학한 그녀 세대의 현실 체험, 그리고 그로 인해 형성된 세대적 자의식에 그 기원을 두고 있다. 그녀의 등단작인 〈동트는 새벽〉이나 첫 장편 《더 이상 아름다운 방황은 없다》, 그에 이어지는 장편 《그리고, 그들의 아름다운 시작》은 공히 1980년대 초반을 배경으로 사회 변혁 운동에 투신한 젊은이들의 삶을 그리고 있다. 이 세 편의 소설은 이른바 '80년대 세대'로서 가졌던 역사 발전의 전망에 대한 신념의 기록이자, 그들 세대의 젊음을 담보로 한 치열한 연대의 공동체 경험에 대한 미학적 재구성이다.

그러나 이 소설들의 세계는 관념성으로부터는 벗어나 있다.

"세상에 나 있는 갖가지 길을 거쳐 왔다 하더라도 결국은 그 길로 갈 수밖에 없었던 곳"인 '광주'가 그 인물들에게 "진실을 위해서라면 결국 싸울 수밖에 없는 것"임을(《더 이상 아름다운 방황은 없다》), 그리고 "가장 가혹한 정의"(《그리고, 그들의 아름다운 시작》)임을 가르친다. 이 소설들의 바탕에 놓여 있는 것은 어떠한 이념이나 이론이 아니라 윤리적 감수성이며, 자신을 위해 대신 고통받는 동료들이나 광주에서, 시위 현장에서, 감옥에서 먼저 죽어간 사람들에 대한 책임 의식에 가까운 것이다.

이후 '후일담 소설'이라고 명명되고 계열화된 공지영의 소설들 역시 이 세대의 체험적 진실을 문학적으로 반복하고 있다. 그러나 '후일담'이 과거에 대한 자기반성을 가장한 '합리화'의 형식이거나 미처 애도되지 못한 시대에 대한 '멜랑콜리'의 형식 혹은 지난 시대에 대한 '낭만화'를 통해 모든 해석을 종결시키는 형식이라면, 그러한 '후일담'의 부정적 뉘앙스로부터 공지영의 소설은 어느 정도 자유롭다. 그녀의 소설은 자기 세대의 경험을 '과거화'하며 그것의 돌이킬 수 없음으로 인한 환멸을 들여다보는 것이 아니라, 그 시간을 생생하게 '현재화'함으로써 그것이 환기하는 책임 의식의 문제를 제기하는 것을 특징으로 하기 때문이다.

1990년대 공지영의 소설 안에서 과거의 경험은 이미 '종결된' 것이 아니라 여전히 '열려 있는' 상처로 나타난다. 그녀의 인물들은 "우리가 입학했을 때 이미 광주는 끝나 있었지만 우리는 한 번도 광주를 끝낼 수는 없었습니다. 그러니까, 말하자면 저희는 광주세대라고나 할까요"라는 말로 그 세대의 운명을 토로하거나, 앞세운 동료에 대하여 "잊혀질지 모르지만, 잊혀져서 간결하게 정리될지도 모르지만, 잊혀졌다고 해서 꽃이, 꽃이 아닌 것은 아니"라고 엄숙히 선언함으로써 과거가 '망각'될 수 있어도 결코 '정리'될 수 없다는 것을 보여준다(〈꿈〉). 또 한편 "지금은 이 지상에 없는 친구들의 수"를 세며 "어두운 곳만 보면 혹시 여기에 그들의 주검이 파랗게 누워 있는 건 아닐까" 하고 자신과 함께 '현전'하는 과거를 의식하며(〈인간에 대한 예의〉), 술자리에 모여서는 화석이되 화석이 되기를 끝내 거부하는 듯 눈을 부릅뜨고 있는 공룡시대의 매머드에 대해 이야기한다. 이 "얼음 속에 갇힌 치켜뜬 매머드의 눈매"는 화석화를 거부하는 의지를 보여주며 "약삭빠르게 일찍 빠져나온 우리들"에게 과거에 대한 책임 의식을 환기하는 이미지인 동시에, 돈이 되는 상아만 일찌감치 빼앗긴 채 다른 부분만 '영원히 갇혀버린' 무력한 이미지로서 이중적 기능을 하고 있다(〈무엇을 할 것인가〉).

이러한 과거는 공지영 문학 안에서 당장 객관화되지는 못한다. 1990년대 후반에 이르기까지의 긴 시간 동안 계속된 그녀 세대의 과거와 현재에 대한 반복적 성찰의 과정을 거쳐, 그녀는 그 안에서 보존해야 할 것과 그대로 남겨두고 와야 할 것을 구분해낸다. 그녀가 '낭만화'라는 비판을 감수하고서라도 계속해서 지난 시대의 자기 세대 모습에서 끝까지 지키고자 했던 것이 그 윤리적 감수성이었다면, 대신에 자신의 진짜 이름을 말할 수 없었던 가명적 삶, 이념 혹은 방향성이 삶그 자체보다 우위를 점하여 마치 길이 아닌 "표지판 위"를 달리는 것과 같은 전도된 삶을 버리고 "울퉁불퉁하고 가파르고 힘겨운 진짜 길"로 돌아온다(〈꿈〉). 그리고 죽은 레닌이 지하에 묻혀 있는 모스크바에 '변증법'을 버리고 그곳을 떠나 "변증법적으로만 전개되는 것은 아니며 (중략) 새로운 불가해한 삶"으로 귀환한다(〈모스크바에는 아무도 없다〉).

그러한 결산을 어느 정도 마친 후인 2000년대로 넘어와서 발표된 〈귓가에 남은 음성〉에서도 광주는 여전히 봉합되지 않은 상처로 자각된다. 이 작품에서 공지영은 일평생 광주를 기억하며 살아온 독일인 '힌츠페터'를 등장시켜, 그의 책임 의식이 한국의 80년대 세대에게로 새롭게 재전이되는 소설적 포석을 펼쳐놓고 있다. 그러한 책임 의식의 무게는 현재의 삶을 규정하는 윤리적 준거가 되는 동시에, "우리들의 깃

발과 함성과 노래처럼 그것은 사라지지 않고 다만, 다음 챕터로 넘어갈 뿐"이라는 화자의 목소리에 나타나 있듯이 새로운 실천적 지평을 요구한다.

소설가가 영원이나 먼 미래를 내다보지 않고 고작 시대에 갇혀 있었느냐고 비난하시고 싶으시겠지요. 예, 아주 개인적으로 말해서 저는 그 말을 칭찬으로 받아들입니다. 저는 기꺼이, 그리고 당연히 시대에 갇혀 있었으며 아마도 앞으로도 그럴 것 같습니다. (산문집《상처 없는 영혼》)

이렇게 자발적으로 "시대에 갇혀 있"었던 그녀의 작가적 태도는 그 시대에 대한 근본적인 애도의 실패, 혹은 그 근원적 불가능성을 직시하는 태도에 가깝다고 할 수 있을 것이다. 그녀는 2000년대 중반에 이르러서야 비로소 지난 시대 문학의 '무게'로부터 벗어나고 싶다고 선언하고 대중과 적극적으로 소통하는 '재미' 있는 글쓰기를 지향하겠다고 밝혔지만, 그럼에도 불구하고 작가의 '태도'나 글쓰기 '방식'의 차원을 넘어서는 근본적 지점에서 '그 시대'는 전면적으로 부정될 수 없으며 계속해서 돌아와야 하는 그녀 자신의 기원의 자리인 것이다.

상속: 실천적 글쓰기의 지평

그렇다면 이번에는 공지영이 '1980년대'로부터 계승하고 있는 '유산' 혹은 그 시대로부터 상속받고 있는 '부채'는 과연 무엇이며, 그것은 그녀의 글쓰기 안에서 어떠한 의미를 얻고 있는가를 살펴볼 차례다. 그녀는 자기 세대에 대한 글쓰기의 의미에 관해 여러 소설에서 언급한 바 있는데, 그 예로《고등어》의 마지막 장면을 들 수 있다. 이 소설의 결말 부분에서 그녀는 그 시대를 상징하는 인물인 '은림'의 죽음 이후 남겨지는 과제를 그녀의 목소리를 통해 다음과 같이 천명한다.

"우리들의 이야기를 써줘. 형이 지금 쓰고 있는 이긴 사람들 이야기 말구, 잃어버린 사람들…… 하지만 빼앗기지는 않았던 사람들. (중략) 그래서 우리 후배들한테 아직도 올바르게 살려고 애쓰는 우리 후배들한테 전해주겠어? 그 애…… 들은 우리들이 뭐 대단한…… 거라도 지니고 살았는지 알아. 그럴 필요 없다는…… 말…… 우리도 사실은 참 어수룩했다는 말…… 우리도 외로웠다는 말…… 그러니 그렇게 주눅 들지 않아도…… 그 애들이 이쁘다는 말을…… 해주겠어?"《고등어》)

이는 곧 그녀 세대의 삶에 대한 (가치 판단을 포함한) 글쓰기와 다음 세대에 대한 전언傳言, 두 가지로 요약할 수 있다. 먼저 그 첫 번째 과제인, 치열하게 싸웠던 "우리들"에 대한 글쓰기는 단순한 과거에 대한 낭만화 내지 특정 세대의 특권화라기보다는 이러한 과거적 삶의 방식에 대한 미학화다. 그리고 그 미학화의 근거는 그들이 지녔던 이념성보다는 "이토록 이타적인 공동체를 이룰 수도 있는 거구나"라고 생각하게 한 순수성과, 그들이 가진 "인간에 대한 신뢰" 그 자체였다고 작가는 '은림'을 통해 고백한다. 따라서 이러한 형태의 글쓰기는 과거와 같은 방식으로 공동체의 역사적 전망을 다루는 것이 아니라, 인간에 대한 책임이라는 윤리적 차원으로 전화되고 다시 미학적 가치의 차원으로 승화된 그들 세대의 삶의 방식을 문제 삼는 것이다. 이러한 작가 의식은 다음과 같은 언급을 통해서도 이미 드러난 바 있다.

　또한 나는 탐미주의자가 될 생각인데 내가 쓴 두 권의 장편소설의 제목에 '아름다운'이라는 형용사가 들어간 것도 이와 무관하지 않다. 즉, 인간이 가진, 이 세계에 살고 있는 어떤 생물도 가지지 못한 아름다움에 천착할 것이다. 배가 고프면서 제 이웃에게 빵을 나누어주는 아름다움, 하나밖에 없는 제 생명이 아득한 우주 속으로 사라져갈 것을 알면서 도청에 뛰어들었던 시민군의 아름다움, 고문을 받으면서 동료의 이름을 불지 않는 아름다움에 대해서 쓰고 싶다.(《인간에 대한 예의》, 〈작가 후기〉)

즉, 위에서 그녀가 든 세 가지에 비추어볼 때 그녀가 자신의 소설을 통해 보여주고자 하는 것은 최소한의 '이타주의'인 동시에 자신이 믿는 대의에 몸을 바치는 '숭고'이며, 그러한 사회적 신념을 나누어가진 '공동체'의 미학성인 것이다. 이는 곧 미학의 형태로 승화된 윤리, '미학적 윤리'라 할 수 있다.

이러한 "인간적 아름다움"의 추구가 비록 추상적 윤리의 형태를 띤다 해도, 그것조차도 소중한 것이 되어버린 이 시대에 대한 뼈아픈 성찰이 있는 한, 우리는 공지영의 문학을 새삼 지지할 수밖에 없다. 민중도 민족도 사라진 시대, 그리고 고삐 풀린 자본주의에 의해 사회의 비인간화와 물신화, 폭력의 일상화가 가속화되고 있는 이 시대에는 이러한 그녀의 보편적 윤리와 공동선의 추구가 그 자체로 유효한 전망이기 때문이다.

《우리들의 행복한 시간》이나 《도가니》 등에서 작가가 그려내고 있는 한국사회의 모습은 결코 아름답지 못한 것이다.

《우리들의 행복한 시간》에 그려지고 있는 것은 무례함을 넘어 "그들이 나의 어깨를 세게 치고, 나의 발을 밟았다는 사실조차 모르고" "그냥, 가고 있"는, 속력은 있으되 방향을 알 수 없는 사회이며, 《도가니》에 그려지고 있는 것은 '야만' 그 자체이자 "미친…… 광란의 도가니"와도 같은, 온갖 권력들의 담합으로 이루어진 "위선과 가증과 폭력의 세계"인 것이다. 따라서 그녀가 이어오고 있는 실천적 글쓰기란 바로 이러한 세계에 대항하여 과거의 "인간적 아름다움"을 복원하고자 하는 책임의 글쓰기라 할 수 있다.

그러면 두 번째 과제인 다음 세대에 대한 전언이란 어떤 의미를 갖는가? 이것은 새로운 세대를 기다리는 태도로 요약할 수 있다. '80년대 세대'로서 '70년대 세대'인 장기수 '권오규'의 삶을 '90년대'적인 인물 '이민자'에 비해 상대적으로 옹호하는 기자 '나'의 의식을 그리고 있는 〈인간에 대한 예의〉의 마지막 장면이 '열무싹'이 뿌리내린 흙에 차 찌꺼기로 거름을 주는 행위로 마무리되고 있는 것을 상기해볼 수 있다. '나'가 자신보다 더 이전의 세대에 속하는 장기수의 삶을 바라보면서 느끼는 것은, 자신의 세대가 그러한 "70년대적 순진함"과 실천의 방법적 오류를 비판하면서도 그에 힘입어 성장했듯이, 자신 역시 이제 스스로 '열무싹'으로 형상화되는 다음 세대에게 '거름'이 되고 싶다는 심정인 것이다.

이러한 과제는 평범하지 않은 형태의 가족 내에서 엄마와 딸이 맺는 관계를 그린《즐거운 나의 집》에서 실현되고 있다. 이 소설에서 '엄마'는 딸 '위녕'에게 쓰는 편지에서 "너의 스물은 엄마의 스물과 다르고 또 달라야 하겠지"라고 이야기한다. 또 '위녕'은 이미 엄마 세대의 과거와 함께 현재의 속물화 내지 체제 순응적 변화까지도 객관적으로 바라볼 수 있는 위치에 놓여 있다. 이것은 '위녕'의 목소리에 개재된 작가의 자기 비판적 시선인 동시에, 건강한 다음 세대의 탄생을 예고한다.

변모: '자기'에서 '타자'로의 여정

지금의 공지영은 자신의 기원인 '1980년대'를 훨씬 넘어선 곳에 도달해 있다고 할 수 있다. 이제 이러한 작가적 '변모' 내지 과거에 대한 지양과 극복의 양상을 살펴볼 차례다. 우선 '1980년대'를 넘어서면서도 작가가 끝까지 지켜내고자 했던 인간에 대한 책임이라는 보편적 윤리는, 만약 그것이 현실 속에서의 구체적 긴장 관계를 잃어버렸다면 아마도 낭만적 감상성으로 빠져들고 말았을 것이다. 그러나 이는 삶의 구체적 영역을 탐색하는 작가적 시선의 확장에 의해 극복된다. 그리고 이러한 공지영 문학의 전개는 동시에 그녀의 문학이 '자기'에서 '타자'에게로 서서히 그 관심을 이행시키는 과정임을 보여주기도 한다.

공지영은 1990년대가 시작되자 자신의 소설에 '1980년대'적 세계를 떠난 '일상'의 차원을 개입시키기 시작한다. 특히 그 다양한 양상 중에서도 남성 중심 사회에 의해 억압받거나 소외되는 여성 인물들을 형상화하는 소설적 과제를 택함으로써 현실과의 긴장을 유지한다. 진취적 '혜완', 소극적 '영선', 타협적 '경혜'라는 "누구보다 당당하고 행복하게 생을 살아갈 자신들이 있었던" 세 여성의 결혼 생활의 파국을 통해 당대 여성들의 참담한 실존의 조건을 보여주고 있는《무소의 뿔처럼 혼자서 가라》가 대표적이다. 그러나 이 작품은 남성/여성이라는 도식적 대립 구도에 의존하기보다는 "여자로서의 의무에 대한 반감과 여자로서의 의무에 대한 거의 본능에 대한 갈망" 사이에서의 여성 인물들의 내적 갈등을 그려냄으로써 구체성을 획득하고 있다. 이 작품을 발표하며 공지영은 잠시 '페미니즘 작가'라는 칭호를 얻기도 했지만, 이에 대해 그녀 스스로는 "여성 문제는 인간의 문제일 뿐", 페미니즘 문학이란 곧 "부당하게 불평등을 당하는 사람의 문학"의 다른 말이며 "그 대상이 여성일 수도 있고 노동자일 수도 있고 빈민 계층이나 기득권에서 제외된 계층일 수도 있"다고 밝혀

(〈문제는 ‘인간에 대한 예의’〉,《문학사상》, 1997. 8) 그 초점이 여전히 ‘인간’에 맞추어져 있음을 보여준다.

《무소의 뿔처럼 혼자서 가라》가 중산층 인텔리 여성들의 삶을 그리고 있다면 그 차기작인 《착한 여자》는 순응적 ‘정인’, 비판적 ‘미송’, 변혁적 ‘인혜’라는 인물의 구도를 그대로 변주하되, “삶에서 아무것도 좋은 것을 가지지 못했던” 비지식인 여성 ‘정인’의 삶을 그 중심에 놓고 있다. ‘정인’은 전반적으로 무력하게 설정되어 있는 지식인 인물들 사이에서 자기 스스로 삶에 부딪쳐가며 성숙하고, 또 마침내는 자기와 비슷한 고통을 겪는 다른 이들의 삶을 끌어안는 새로운 공동체적 삶의 형태를 모색한다.

또 작가는 《봉순이 언니》에서는 시골에서 올라와 ‘나’의 집에서 식모로 일하는 ‘봉순’이라는 여성을 내세운다.

대학 시절 공단에 관한 르포들을 읽으면서 나는 이제 더이상 우리 집에 살지 않는 수많은 봉순이 언니들과 마주쳤다. (중략) 그곳(공장)에 간 지 한 달. 명목상으로는 대학 졸업자의 신분을 들켜버린 셈이었지만, 내심으로는 나를 발각해 준 공장주 측에 감사하는 마음도 있었으리라. 그곳을 떠나면서 나는 어머니가 봉순이 언니를 마음속에서 내쳐버렸듯이 내 마음속에 들어 있던 봉순이 언니를 내쳐버렸고 그 후로 다시는 그녀를 떠올린 적은 없었다. 그런데 내 친구의 말을 빌리자면, 내 생이 암전되어버렸던 어떤 순간 나는 그녀를 떠올렸던 것이다.《봉순이 언니》)

위의 장면에서, '나'는 더 이상 '봉순'을 지식인의 관념 속에서의 인식의 대상으로서가 아니라, 삶의 차원에서의 공감의 대상으로 바라보기 시작하고 있다. 이는 1980년대에 "넌 기꺼이 민중이 될 수 있겠니? 기꺼이 노동자가 될 자신이 있니?"《더 이상 아름다운 방황은 없다》)라는 말로 강요되었을 뿐 사실상 생략되었던, 이념이나 이론에 의해서는 다다를 수 없는 타자에 대한 이해의 과정이자, 동시에 1990년대에 다시 삶으로의 '존재 이전'을 겪으며 다시는 돌아보지 않았던 타자에 대한 (재)발견의 과정이라고 할 수 있다. 그녀들 자신이 그들과 다르지 않은 삶의 자리에 '이미' 놓여 있다는 이러한 인식의 전환은, 따라서 지난 시대에 대한 소급적 반성으로 읽히기도 한다. 또한 단편 〈절망을 건너는 법〉에서 절망한 지식인 '나'가 절망이라는 말의 필요성도 느끼지 못하며 그저 묵묵히 살아갈 뿐인 농촌 여성 '순임 모'를 보며 삶에 대한 새로운 차원의 배움을 얻듯, 이 소설에서도 '나'는 '봉순'의 삶에 대한 무한한 낙관 앞에서 충격과 같은 깨달음을 얻는다.

　이러한 관계는 대학교수 '유정'과 사형수 '윤수' 간의 만남을 그린《우리들의 행복한 시간》이나 '자애학교'의 신임 교사 '인호'와 청각 장애 학생들 간의 소통을 그린《도가니》에서도 반복된다. 이 소설들에서 인물들의 관계는 일방적인 계몽 내지는 자선/동정의 관계가 아니다. '유정'과 '인호' 등 불완전한 개인은 타자와의 만남을 통해 자신이 몰랐던 자신의 상처, 그리고 자신이 속한 사회적 현실의 환부를 아프게 깨닫게 된다. 그리고 그 고통을 매개로 하여 "끊어버릴 수 없는 인간 공통의 처연한 연대 의식"《우리들의 행복한 시간》)을 느끼며, "(아내에게 보내는 편지에서) 그 아이들도 내게는 결국 모두 새미와 같아. 그리고 동료들이 있지. 아닌 것을 아니라고 말하다가 고난받는 동료들이. 그들은 내게 결국 모두 당신과 같아"《도가니》)라는 새로운 차원의 연대를 발견하고 있다.

　이는 작가 의식의 차원에서도 "내가 사랑했으나 내가 상처 입혔던 그 모든 사람들이 결국은 모두 나였다"는 발견이나 《착한 여자》, 〈작가 후기〉) "내가 쓴 소설의 주인공들은 모두 고난을 겪지만 그 주인공들의 고난 때문에 내가 이토록 힘겨워한 적은 없었다"는 고백《봉순이 언니》), 그리고 "그러고 나자 (자본주의 시대에는 자기도 역시 하나의 '파는 사람'에 불과하다는 자기 인식을 하고 나자) 수많은 사람들의 삶이 내게로 다가왔다. (중략) 그들을 바라보는 나의 시각이 동정과 가슴 아픔에서 동업자, 라는 의식으로 바뀐 것이었다"(〈싱싱한 문학의 나무이기를 기도하면서〉, 《문예중앙》, 2001. 가을)라는 깨달음의 형태로 표명된 바 있다. 어떠한 관념성이나 이데올로기의 선입견도 개입시키지 않는, 또 타자에게서 분리된 "동정과 가슴 아픔"의 시선을 넘어선, 삶의 조건과 고통의 동질성을 기반으로 한 새로운 소통의 방식이 발견된 것이다.

이러한 작가 의식의 변화는 공지영으로 하여금 우리 사회가 타자에게 가하는 폭력이나 소외를 끊임없이 발견하고 그러한 문제를 적극적으로 의제화함으로써 문학의 사회적 담론 기능을 떠맡게 하는 문학적 원동력이 되고 있다. 이렇게 그녀가 계속해서 타자의 고통을 섬세한 시선으로 쓰다듬을 때, 자신의 고통에서 한발 물러나 오히려 타자의 고통을 절통한 자신의 것으로 체감할 때, 그러한 소통의 차원을 더 강력한 구체성과 진정성을 갖는 문학 형식으로 구현해낼 때, 그리고 그것이 무엇이든 쉽게 소비되는 시대에 그러한 소비됨을 거부하는 깊은 성찰적 울림을 지닌 것일 때, 그녀의 빛나는 문학적 변모는 완성될 것이다.

이상문학상
대상 작가를
말한다

구효서를 말한다

이 좋은 날의 품앗이,
혹은 빚 갚기

소설가 이순원

빠르게 받아가는 원고 빚

회사 다니는 사람들의 한 해 업무가 시작되는 날이었다. 늦은 저녁에 구효서가 전화했다. 통화야 서로 가끔 하지만, 그날은, 더구나 그게 연초라 핸드폰에 친구 이름이 뜨자마자 직감적으로 오는 느낌이 있었다. 아, 이 친구에게 방금 좋은 소식이 들어왔구나. 그래서 나에게 어떤 원고 부탁을 하려고 하는구나. 이 바닥에서 30년쯤 벗하면 서로 이렇게 저절로 알게 되는 일들이 있다.

"야, 클랐어."

이건 이런 일에 우리가 늘 하는 소리다. 친구는 누가 사흘 안으로 자기에 대해 원고 하나를 써야 하는데 그걸 해달라는 것이었다. 글을 쓰는 친구끼리 이런 부탁을 하는 것은 정말 반갑고도 고마운 일이다. 살아가며 서로 이런 부탁을 할 기회가 많지 않다. 어쩌다 이런저런 상을 받았을 때만 할 수 있는 부탁이다. 잡지에 '작가특집' 같은 걸 할 때에는 기획 단계에 서부터 여유가 있어 편집자가 아주 넉넉한 시간을 두고 청탁한다.

이렇게 시간에 쫓겨 부탁하는 것은 어떤 상의 수상이 결정되고, 당장 그달 안으로 그에 대한 이런저런 원고를 채운 책이 나와야 할 경우다. 그런 전화를 편집자가 작가에게 먼저하기 어려워 작가끼리 먼저 부탁한 다음 다시 편집자가 그 작가에게 '빠른 원고 부탁' 전화를 하는 것이다. 짐작대로 '이상문학상'이라고 했다.

이 친구가 이런 전화를 하기 두 달 전에 내가 바로 그런 전화를 이 친구에게 했다. 형식과 오간 말도 똑같다.

"야, 클랐어."

"뭐가?"

"니가 나에 대해 뭐 좀 써줘야 해."

그때는 내가 녹색문학상 수상 통보를 받았고, 그 상을 주관하는 곳에서 거기에 들어갈 작가에 대한 얘기가 필요하다고 해서 그걸 이 친구에게 부탁했던 것이다. 그리고 열흘쯤 지나 다시 '동리문학상'이 결정되었을 때 이 친구가 "뭐, 다 쓸어 담네"라고 말해 그 말이 민망하고도 우스워 함께 킬킬거렸다.

그리고 이번에 이상문학상 수상 통보 전화로 함께 킬킬거리고 클클거렸던 것도 지난번에 써준 원고 빚을 너무 빠르게 받아가는 것 때문이었다. 두 달 만에 "클랐어" 하고 이 친구가 똑같은 방식으로 원고 부탁 전화를 한 것이었다.

자 그러면 써보자.

구효서 작가론이 바로 이순원 작가론

'구효서 작가가 상을 받으니 내가 받은 것처럼 기쁘다. 그럴 만도 하다. 그와 나는 동갑내기다. 나는 동갑내기를 보면 무조건 뭉클해져버린다. 내가 살아온 세월을, 세상을, 고스란히 그도 겪어왔을 거라는 동질감 혹은 유대감 때문일까? 내가 빡빡머리로 중학교에 입학할 때 그도 빡빡머리로 중학교에 입학했겠지. 이건 틀림없는 사실일 테니까.

그는 한반도의 허리 서쪽 끝에서 태어났고 나는 동쪽 끝에서 태어났지만 한반도를 세로로 접으면 그의 고향 강화와 나의 고향 강릉이 데칼코마니처럼 딱 만난다. 강릉은 북위 37도 27분~54분, 강화는 북위 37도 31분~48분이니까. 그뿐인가. 그가 아버지 심부름으로 술도가에서 술을 받아오다가 주전자 꼭지에 입을 대고 막걸리를 쪽쪽 빨아 마실 때 나도 아버지 심부름으로 술을 받아 오다가 주전자 꼭지를 날름날름 핥았던 것이다. 주전자 뚜껑 아래 김치보시기를 끼워 넣

는 것 하며 주전자 꼭지에 젓가락을 꽂아 들로 내가는 모양도 어쩌면 그리 똑같았는지.'

앞부분 따옴표 안의 글을 읽으며 아무도 이상하게 여기지 않았을 것이다. 그러나 이것은 두 달 전 구효서가 나에 대해서 쓴 글이다. '이순원'을 '구효서'로 바꾸고, '강화'와 '강릉'의 자리를 바꾸어 썼을 뿐이다. 딱 그것만 바꾸어도 이순원 작가론의 한 부분이 구효서 작가론이 되고, 구효서 작가론이 이순원 작가론이 된다. 살아가며 이런 인연도 참 쉽지 않다. 더구나 둘 다 같이 글을 쓰는 사람이다.

그러나 나는 체질적으로 '작가론' 같은 것을 잘 못쓰기 때문에, 그냥 이 친구와 나, 그리고 같은 시대에 태어나 함께 글을 써온 우리가 어울려 지내온 이야기를 하려 한다. '론'자보다는 이게 구효서에 대해서도 더 사람 냄새가 나는 글이 되지 않을까 싶기도 하다.

그와 나는 문단에 나오자마자 만난 아주 오랜 친구다. 우리는 1957년 같은 해에 태어났다. 위에 쓴 구효서의 말대로 우리나라 지도에 삼팔선처럼 그 아래 그것과 수평이 되게 또 하나의 금을 그으면 똑같은 위도 상에 한 사람은 동쪽 끝인 강릉, 또 한 사람은 서쪽 끝인 강화에서 태어났다. 강릉에서 뜬 해가 강화로 지는데, 둘 다 지명에 '강'자가 들어간다. 이 '강'

자를 지워내고, 이따금 우리는 그걸 '화룡지교'라는 말로 우리 사이의 우정을 얘기한다. 이러면 다른 사람들은 우리 사이가 무척 화기애애한 줄 아는데 꼭 그렇지만도 않다. 어떤 때는 원수보다 더한 사이이기도 하다. 우리가 처음 만난 것은 30년 전 중앙일보 신춘문예에서였다. 둘 다 소설을 응모했고, 최종심에서 두 작품이 다투다가 구효서가 〈마디〉라는 단편소설로 당선되고 내가 떨어졌다.

그 후 구효서는 그 상금을 밑천삼아 결혼을 했고, 《문학사상》 편집부에 들어갔다. 나는 다음 해 그 원수를 외나무다리에서 다시 만나는 식으로 구효서가 일하는 《문학사상》을 통해 중앙문단에 나왔는데, 이때 당선 통지를 해준 사람이 구효서였다. 다음 해 윤대녕도 그곳을 통해 나왔는데, 내가 나오던 해 《문학사상》 신인상 최종심에 박상우·윤대녕·이순원이 함께 있었고, 그 심사 절차를 진행한 사람이 구효서였다. 꼭 이게 인연이었던 것은 아니지만 아무튼 만날 사람은 어떻게든 만나게 되어 이 시기에 구효서·박상우·유정룡·윤대녕·이순원이 함께 어울려 참 엄청 마셔댔다.

주로 마포에서, 또 인사동에서 마셨던 것 같은데 지금이야 다들 이름 있는 작가로 성장했지만 그때는 자주 모여 마셔도 아무도 신경 안 쓰는 '변방에 우짖는, 아니 우짖지도 못하는 벙

어리 새' 같은 문단 말석들이었다. 처음부터 변방의 작가로 늘 그 자리에 모여 우리들끼리 그런 식으로 마셨는데 그러느라 삼십 대가 거의 지나간 거 같다. 그게 얼마큼 시간이 지나니 그 변방의 자리가 마치 우리끼리 어떤 금을 그어놓고 모인 자리처럼 '왜 너희끼리만 모여 마셔?' 하는 모임이 되어버렸다.

그 시절의 일이다. 그때만 해도 노래방이 없었다. 이후 노래방이라는 게 생기면서 이 친구들이 술을 약게 먹기 시작했다. 윤대녕은 원래 술이 좀 약했던 거 같고, 나머지 친구들은 대충 마시고 노래방에 가고 싶어 했다. 거기 가면 구효서·박상우·유정룡이 서로 마이크를 잡겠다고 쌈박질을 한다. 그런데 나는 아무리 아름다운 노래도 폭력적인 침묵만 못하다고 여기는 사람이어서, 이 친구들 노래방 못 가게 하는 방법으로 폭탄주를 왼쪽에서 오른쪽으로 마구마구 돌려 그냥 술자리에서 다운시켜버리곤 했다. 그때 폭탄주에 제일 곤혹스러워했던 친구가 바로 구효서였다.

6·25때 난리는 난리도 아니었던 그때의 이런저런 술자리에서 함께 어울리다가 그 폭탄주의 유탄을 맞고 잠시 정신이 어질어질하셨던 분들 많으실 것 같은데, 그 원인 제공자가 바로 노래방을 좋아하는 구효서와 박상우다. 요즘은 좀 달라졌는지 모르지만 좌우지간 노래방에 가면 마이크를 안 놓는다.

시간도 계속 추가한다.

그때까지만 해도 우리 집사람이 내가 밖에 나가 술을 마시고 좀 취해서 들어오면 덩치가 좋은 박상우나 유정룡이 우리 남편한테 이렇게 술을 줬구나 생각했다. 그런데 어느 날 내가 며칠 어디에 갔다 오니 반갑게 맞이하는 것이 아니라 눈빛이 아주 싸늘했다. 왜 그러지 하고 봤더니, 우리 집 거실 탁자에 구효서의 산문집《인생은 지나간다》가 딱 놓여 있었다. 그 산문집에 지금도 네이버에 검색되는 '이순원의 폭탄주' 얘기가 나온다. 그 일을 강릉에 계시는 아버지까지 알게 되어 야단을 들었다. 비겁하게 그걸 글로 쓰다니. 이 친구는 받으면 꼭 받은 것만큼 언젠가는 그렇게 되갚음을 한다. 그런데도 나는 바다처럼 마음이 넓어 이렇게 좋은 말로만 친구를 위한 글을 쓰고 있다.

동년배의 코호트

예전의 그 친구들이 모두 열심히 글을 쓰고 있는 것이 같은 세대의 작가로 너무 자랑스럽고 고맙다. 앞으로도 20년은 사십 대의 그 시절처럼 써야 할 친구들이고 길동무들이다. 우리가 술도 왕성하게 마시고 글도 왕성하게 쓰던 사십 대 시절, 내가 구효서에게 아주 크게 놀랐던 적이 있다. 어쩌면 본인은 그 일을 잊었을지 모른다.

어느 대학의 문학 강연회에 함께 초대되어 갔을 때의 일이다. 한 학생이 나에게 "선생님은 언제 글을 쓰십니까?" 하고 묻고 또 한 학생이 구효서에게는 "소설을 쓰시는 선생님이 생각하는 산문 정신이란 무엇입니까?" 하고 아주 심각하게 물었다. 나는 질문한 학생이 이해하기 쉽게, 또 내가 대답하기 쉽게 "보통은 때꺼리가 떨어지면 쓰는데, 늘 때꺼리가 간당간당해서 매일 씁니다" 하고 웃으며 대답했다. 그리고 구효서가 어떻게 대답할까, 궁금한 얼굴로 바라보았다. 이 질문에 산문이 어떻고, 뭐가 어떻고, 작품이 어떻고, 이렇게 대답하기 시작하면 한도 끝도 없이 골 아파지는데, 구효서가 그걸 명쾌하게 대답하는 것이었다.

"글이라는 것은 쓰다 보면 잘 나갈 때도 있고 안 나갈 때도 있는데, 제가 생각하는 산문 정신은 작가가 글이 잘 안 써질 때에도 끝까지 그것을 붙잡고 열심히 쓰는 것을 말합니다."

이런 거야말로 고수의 문답이고, 실천의 문답인 것이다. 그때 나는 우리가 늘 함께 웃고 떠들고 마시지만 '저 친구야말로 나에게는 같은 길을 걸어가는 이 시대의 스승과도 같은 친구구나' 하고 다시 한 번 생각하게 되었다. 나는 지금 누가 산문 정신에 대해 물으면 그때 구효서가 한 말처럼 대답한다.

나는 대관령 아래에서 하늘과 산과 그 사이의 논과 밭과 나무와 땅을 보고 자랐다. 그게 세상의 전부인 줄 알았는데 내가 그렇게 자라는 동안 구효서는 강화에서 내가 자란 곳과 비슷한 농촌에서, 그러나 그곳 가까이 있는 바다를 보고 자랐다. 어린 시절 북한에서 뿌린 삐라를 산에서 한 장만 주워도 그게 아주 큰일이었던 내게 북한에서 뿌린 삐라를 포대에 담아와 경찰서에 가져다주는 《라디오 라디오》를 읽으며 전혀 딴 세상의 이야기 같기도 했지만, 나보다 현실적으로 많은 이야기 세계를 가지고 있는 친구라는 것을 알았다. 젊은 시절 〈아이 앰 어 소피스트〉라는 아주 새로운 형식의 소설을 발표했을 때 나는 이 친구의 새로운 감각과 실험 정신을 보았다. 강화에 놀러갈 때마다 〈시계가 걸렸던 자리〉가 있는 그의 옛집 동네를 찾아보고 싶어진다. 그는 생각도 깊고 사물을 바라보는 시선도 깊다. 그는 예순이 된 지금도 늘 실험하고, 또 용기 있게 그것을 밀고 나간다. 일상생활에서도 실수를 두려워하지 않는다. 삶에서만이 아니다. 어느 결에 나이가 들었지만 글에서도 그가 늘 새로운 이유다.

먼저 받은 글 빚을 갚는 자리에 지난가을 그가 내게 해주었던 말을 이제 나는 글자 하나 바꾸지 않고, 그대로 그의 몫으로 되돌려주어야 할 것 같다. 그는 내게 이렇게 말했다. 그러나 그것은 내가 지금 그의 문학에 대해 해야 할 말 그대로다.

'그의 많은 작품에서 드러나듯이 그는 나무와 숲을, 하늘과 땅을, 그 사이에 살아 숨 쉬는 창생의 삶을 예사로이 보지 않는다. 푸른 즙과도 같은 그의 푸른 언어는 영혼이 푸르지 않고는 나올 수 없는 것들임을 나는 감히 안다고 하겠다. 그리하여, 그와 같은 해에 태어나 한반도의 중심이 아닌 동서 양끝의 넓고 푸른 땅에서 살았던 동년배의 코호트cohort로서 나는 그의 이번 수상을 내 일처럼 마냥 기뻐하며 축하하는 것이다.'

이정도면 나이를 먹는 것도 정말 즐거운 일이다. 비슷하게 나이를 먹는 친구가 있어서 더욱 그렇다. 아니, 나이를 먹을수록 더욱 비슷해져가는 친구가 있어서 그렇다.
다시 한 번 축하한다, 친구야!
뒤에서 애써온 가회, 지회 엄마도 축하드립니다. 그리고 이 빛나는 자리를 못 보시고 돌아가신 효서 어머니, 이런 좋은 친구를 대관령 너머 동쪽 끝에 태어난 저에게, 또 우리가 사는 세상에 보내주셔서 정말 감사합니다. 늘 함께 지켜봐주세요, 우리를.

이상문학상
대상 작가를
말한다

권여선을 말한다

우리 시대의
진정한 탐사자

문학평론가 **차미령**

1986년 어느 봄으로부터

1986년 5월이 끝나갈 무렵, 한강에서 한 건의 투신자살 사건이 발생했다. 고인이 된 이의 이름은 박혜정. 대학생이었고, 그때 겨우 스물한 살이었다. 발견된 짧은 유서에는 '아파하면서 살아갈 용기 없는 자, 부끄럽게 죽을 것'이라는 문장이, '제발 나를 욕해주기를, 욕하고 잊기를……'이라는 고통스런 당부가, 남겨져 있었을 뿐 자살과 관련된 자세한 정황은 찾을 수 없었다.

그로부터 십 년 후인 1996년. 서울대학교 인문대 건물 옆에는 고인을 기리는 열사 추모비가 세워졌고 조촐한 추모문집이 발간되었다. 그 문집에 고인을 회고하는 평전 형식의 글을 쓴 이는, 투신 바로 전날까지도 함께했었던 고인의 절친한 친구 권희선이었다. 문학을 꿈꾸고 택시 운전사가 되기 위해 운전을 배웠던, 운동과 생활 사이에서 혹은 삶과 죽음 사이에서 끊임없이 고뇌했던, 여린 그 심성만을 남긴 채 먼저 떠난한 청춘. 그녀를 애틋하게 그리워하던 그 친구는 다음과 같은문장으로 글을 끝맺었다. '남은 자들의 부끄러움은 남은 자들의 힘이라고.'

우연일까, 필연일까. 1996년 바로 그해 자연인 권희선은《푸르른 틈새》라는 소설을 펴내며 작가 권여선으로의 전신轉身을 감행한다. 이 책과 고인 사이의, 혹은 작가 권여선과 고인의 죽음 사이의 연관성은 아예 없거나 혹은 너무 많다. 권여선의 첫 소설에서 박혜정의 자취를 찾는 것은 그리 어려운일이 아니다. 작중인물인 박해수에게도, 그리고 주인공 화자에게도 얼마간 그녀의 그림자가 드리워져 있으니까. 하지만어떤 소설 속에서 작가의 자전적 흔적을 찾으려는 우리의 안간힘은 얼마나 부질없고 또 얼마나 추한 것인지.

2007년 권여선은 자신의 데뷔작을 재출간하며, '작가의말'에 다음과 같이 쓴다. '스물한 살 봄에 떠난 친구 기일 즈음, 권여선.' 1986년으로부터 2007년까지 꼬박 이십일 년이란 시간이 흐른 다음이었다.

이야기를 불러일으키는 상처, 상처를 환기하는 이야기
'일주일이면 이사를 한다'라는 간결한 문장으로 시작하는

《푸르른 틈새》는, 서른 살의 봄을 맞은 화자 손미옥이 이 년 간 세 들어 산 반지하 방에서 자신의 과거, 특히 이십 대를 다 시 쓰는 방식으로 진행된다. 습기와 취기로 감싸진 '젖은 방' 은, '기억'이라는 화살의 과녁에 스스로를 내놓은 한 인간을 몇 갈래로 찢고 다시 그러모아 하나로 빚는 부엌이자,《푸르 른 틈새》라는 한 권의 책을 잉태하는, '상상'이라는 양수로 둘 러싸인 이야기의 자궁이다. 소설 전체는 7일이라는 시간에 맞추어 총 7개의 장으로 나뉘어 있으며, 각각의 장에는 다음 의 네 가지 시간대가 시종 엇갈리며 흘러간다. 1) 외척들이 화자의 집에 들어와 기식하던 유년기, 2) 신입생 환영회, 교 내 시위, 농활, 가투, 공활로 이어지던 80년대 대학 시절, 3) 휴학 이후 실직한 아버지와 함께하던 서른 직전까지의 나날 들, 4) 복교 후 삼 년간 지속된 연애의 시작과 끝. 이렇게 특정 시기의 자신'들'을 젖은 방으로 소환하여 그녀'들' 삶의 조각 을 현재라는 시간적 필터로 걸러 무대화하는 일주일간은, 인 생의 다른 단계로 '이사'하여야 할 화자로 인해 어느 정도 (통 과)제의적인 색채를 띠게 된다.

　　3)과 4)의 시간대를 조명하고 있는 후반부보다 더 흡인력 이 있는 쪽은 1)과 2)의 시간대가 회고되는 소설의 전반부다. 2장의 첫머리에서 우리는 "어른이란 모름지기 '정치'와 '성'

에 대해 확고부동한 입장을 갖추고 있어야 하는 법"이라 믿으며 하루빨리 나름의 "정치용어사전"과 "성용어사전"을 편찬해야 할 필요가 있다고 씩씩하게 단언하는 한 대학 풋내기, 아직은 소녀를 만난다. 비록 이 소설 특유의 유머러스한 화법을 빌려 제시되고는 있지만, 이때 '정치'와 '성'은 그저 '어른'이 아니라 '성인 남성'의 전유물로 명백히 성별화되어 있으며, "두 사전이 없으면 대학 사회에서 운영되는 소통 체계에 적응할 수 없었다"는 진술이 암시하듯이 화자에게는(그녀가 그 사실을 깨닫지 못했다 하더라도) 다분히 억압적인 것이다. 이 에피소드를 포함해 《푸르른 틈새》의 전반부 스토리는 80년대 학번의 한 여자 대학생이 시대의 무거운 공기 아래서, 또 성인의 문턱 앞에서 왜 무릎 꿇어야만 했는지를, 왜 모든 것을 포기하고 집으로 돌아온 그녀가 자신의 자아 이미지를 결국 "부드럽고 따스하고 말랑말랑한 살덩어리가 날카롭고 단단한 막대기에 의해 관통당하는 이미지"로 연상하게 되는지를 담담하게 조명하고 있다.

대학 신입생 환영회 자리에서부터, 낭만적인 자기 기원담인 손미옥의 '파랑새 신화'는 일률적이고 폭력적인 자기소개의 룰에 밀려 입 밖으로 꺼내어지지조차 못하고, '새가 어깨에 앉았다'로 표현되는 이성에 대한 서정적인 끌림은 적응의 시간을 통과하면서 남자 동료들 앞에서 아무렇지도 않게 음담패설을 뱉는 무심함으로 진화한다. "당시의 내게 여성성은 유혹과 매력이었고, 중성성은 당위이자 압력이었다"는 화자의 회고는 대학 시절 내내 지속된 그녀 고민의 한 축을 비교적 명료하게 드러내지만, 중성성과 여성성 사이에서 때때로 휘청거리는 손미옥이 둘 사이의 선택으로 인해 극심한 고통을 느꼈다고 보기는 어렵다. 무엇보다 손미옥이 말한 것처럼 '중성성(남성성)'이 그 시대의 당위였기 때문에, 그녀 자신이 강한 여자가 되기를, 그래서 당당한 동료로 거듭나기를 간절히 열망했기 때문에. 그러나 바로 그런 이유로 화자의 실패는 더 돌이킬 수 없는 것이 된다. 마구 휘둘러지는 전경의 곤봉으로 대표되는 남성적 폭력의 정점인 시위 속에서 무심코 집어 든 돌멩이 하나가 전부였던 손미옥은, 자신 안의 "정체불명의 계집애와 숨바꼭질하는 심정"으로 차츰 술에 의지하게 되고, 극도의 무기력에 빠진 끝에 간신히 이어오던 공활을 일주일 만에 포기하고 휴학한다.

소설의 전반부를 들여다보는 가장 간편한 독법은 1)과 2)의 시간대를 대비적으로 읽어내는 것이지만, 《푸르른 틈새》에서 작가가 두 시간대를 축조하는 논리는 사실상 서로 상동적이다. 일 년의 팔 할을 집 밖에서 보내는 선원인 아버지를 둔 화자의 유년기 가정은, 외척들이 들이닥치면서 어머니, 언니, 외할머니, 둘째 이모와 그녀의 딸, 외숙모와 그녀의 아들, 막내 이모 등으로 이루어진 규모가 제법 큰 모계 공동체로 탈바꿈한다. 외가 식구들이 기식하기 전에는 기나긴 시를 암송하고 두 딸들을 살뜰하게 챙겼던 어머니는 말도 많고 탈도 많은 대가족을 규율하느라 여념이 없는 엄격한 모계—가부장으로 전신하고, 어머니의 관심과 사랑으로부터 내쳐진 어린 화자는 극심한 소외감에 시달린다. 대학 시절의 그녀가 집회의 '스크럼'에서 충만감을 느꼈던 것, 또 유년기의 그녀가 산더미 같은 일을 일사분란하게 척척 해내는 '여인 군단'의 위력에 매혹되었던 것을 보면, 이 소설의 주인공이 집단만이 제공할 수 있는 열정적 힘에 경도되는 성향이 있다는 것을 부인할 수는 없다. 그러나 화자는 집단과 무리 없이 섞여 들어가 집단이 요구하는 과업을 완수하는 데 실패하고, 그로 인한 열패감은 '시위 전 음주벽'(대학 시절)과 '도벽'(유년기)이라는 병리적인 증상으로 나타나기에 이른다.

소설 후반부의 가장 핵심적인 사건이자 '젖은 방'에서의 기억 행위의 가장 유력한 동기가 되는 연애의 저변에 깔린 심리 역시, 채 충족되지 못했던 부모의 사랑을 박해수와 임윤아라는 여자 친구와의 관계로 대체하려 했던 어린 시절 화자의 심리와 아주 다른 것은 아니다. 손미옥은 대학 시절의 실패, 나아가 아버지의 오랜 부재로 인한 뿌리 깊은 상실감을 한영과의 연애라는 개인적인 관계로 보상받고자 하지만, 섣부른 결별 선언이 낳은 이별의 고통은 느지막이 찾아온 사랑이 안겨준 기쁨을 간단히 압도한다. 소설의 마지막 장에서 작가는 거의 고전적인 수법으로 과거의 파편들과 연관된 파국적인 사건들을 한꺼번에 화자 앞에 펼쳐놓는다. 한영의 결혼 상대가 그들의 동기 미혜라는 사실도, 어린 시절의 친구 박해수가 한강에 투신했다는 사실도, 아버지가 교통사고로 즉사했다는 사실도 7장의 도입부에서 몰아쳐서 제시된다. 더 이상의 나락이 없을 것 같은 순간 이 소설이 준비한 마지막 압권은, 실직하고 집으로 귀환해 "이년들아, 이 손재우, 아직 안 죽었노라!"를 외침으로써 화자 자신의 거울상임을 증명하곤 했던 아버지의 영정 사진을 배경으로, 화자가 자위를 시도하는 장면이다. 자기 성애, 그 외설적인 쾌락의 중심에 자신의 기원인 아버지를 개입시키고자 했던 그녀의 시도는 성공하지 못하고 이어진 자살 시도 역시 무위로 돌아간다. "아버지는 파랑새를 기르는 데 실패했고, 나는 젖은 새를 죽이는 데 실패했다"는 쓰라린 진술과 더불어 화자의 탄생과 함께했던 '파랑새의 신화'는 그렇게 종언을 고한다.

1996년 발표된 이 소설은 자전소설, 후일담소설, 성장소설이라는 몇 가지 레테르와 함께 소개되었다. 소설의 면면을 보자면 《푸르른 틈새》에 그런 요소가 있는 것을 부정할 수는 없다. 더욱이 《푸르른 틈새》에는 '몰락과 나락의 서사'라는 권여선 소설의 어떤 원형이 담겨 있기도 하다. 그러나 그보다 눈여겨볼 것은 《푸르른 틈새》가 권여선 소설에서는 극히 이례적으로 "상처로 열린 우리의 몸처럼, 기억의 빛살이 그 틈새, 그 푸르른 틈새를 비출 때 비로소 의미의 날개를 달고 찬란히 비상하는 우리의 현재처럼……"이라는 서정적인 문장으로 마무리되고 있다는 사실이다. 손미옥이 처한 상황으로부터 이런 낙관적 기대가 움틀 근거를 도출하기 어렵기 때문에, 보기에 따라서 이러한 결말은 갑작스럽고 성급한 봉합이라는 인상을 줄지도 모른다. 그러나 이 모든 나락을 이야기로 빚는 과정 자체를 새로운 재생의 과정과 연결시키고자 하는 작가의 작의作意는 다시금 곱씹어볼 필요가 있다. 손미옥이 '미완의 책' 《아라비안나이트》에서 낮의 상처와 밤의 이야기의 "고통에 찬 상호 승인"을 읽어내는 것처럼, 권여선의 소설 역시 상처와 이야기 사이의 "불확실한 교감" 안에서, 개인적 고통의 '깊이'를 서사(가 담을 수 있는 고통)의 무한한 '너비'로 치유하는 역설의 방향으로 지금껏 이어져왔기 때문이다.

운명, 그 악마적인 반복

《푸르른 틈새》이후 권여선의 행보는 더뎠다. 첫 번째 창작집 《처녀치마》가 발간된 것은 상상문학상을 수상한 이후 팔년 만인 2004년. 다소 통상적인 이해를 도모해보자면, 《처녀치마》의 소설들은 90년대에 유행했던 이른바 후일담계 소설이나 불륜 서사와 어느 정도 친연성이 있다. 표면적으로는 그렇다. 소설의 인물들 대부분은 80년대를 통과하고 울화의 늪에서 헤어 나오지 못하고 있는 삼사십 대이며, 또 대부분은 제도적인 틀에서 용인되지 않는 연애를 관성적으로 지속하는 중이다. 젊은 날 배우고자 했던 것들로부터 너무나 멀어져버린 이들에게 지금 "망아적인 기쁨"을 선사하는 최대한의 위반이란, 무단 횡단 벌금 고지서를 발행한 경관을 향해 함정 단속이라며 이죽거리는 것(〈12월 31일〉)이나 한밤의 고성방가를 탓하는 경비원에게 개인의 사생활 구성권을 들먹이며 설전을 벌이는 것(〈트라우마〉)이 전부이며, 유부남 시인과 연애하며 가진 아이를 자신의 몸에서 지워낸 한 여자는 그들의 상황을 "서로의 몸을 하찮게 여기다 이제 서로의 모든 것을 하찮게 여기는 지경"(〈수업시대〉)으로 갈무리한다.

그러나 당연하게도 《처녀치마》의 정수는 이 인물들의 통속화된 면면에 있지는 않은데, 조금만 주의 깊은 독자라면

《처녀치마》의 권여선이 일견 당대의 다른 소설들과 비슷한 무대를 설치해놓고 인물들에게 전혀 다른 연기를 주문하고 있다는 사실을 알아차릴 수 있을 것이다. 요컨대 지금 우리가 '후일담'이나 '불륜'이란 말에서 아무런 문학적 활력을 느끼지 못하는 것은 어떤 당혹스런 경험 때문이 아니겠는가. 그 갸륵한 뜻에도 불구하고 결국은 스스로에게 반한 나르시시스트의 얼굴과 마주하게 되거나, 가부장적 그늘을 벗어나기 위해 또 다른 가부장 애인을 열망하는 모순과 맞닥뜨려야 했던 그런 경험 말이다. 세인과 다른 자기를 이상화하는 것도, 또 바깥의 구원을 찾아 헤매는 것도 결국 가야 할 길이 아니라면 과연 어떤 길이 가능할까.

이 책에 실린 소설들은 대부분 1990년대 후반과 2000년대 전반에 이르는 시기 동안 집필된 것이지만, 이 시기 다른 소설들에 팽배해 있던 위반과 전복, 일탈과 반항, 냉소와 위악의 기운은 쉽게 찾아볼 수 없다. 그러한 파토스 대신 《처녀치마》에서 독자들이 발견하는 것은 앞질러 운명을 확인하고 돌아선 자의, 감정을 으깨어 모두 지워버린 듯한 무표정한 얼굴이다. 그 얼굴들 뒤편에서 작가는 이를테면 이런 문장들을 심상하게 부려놓아, 읽는 이들의 가슴 한구석을 문득 움켰다가 내려놓는다.

실 끝을 쥐고 이곳까지 찾아온 그 남자도 여관 마당에 서서 느꼈을 것이다. 산다는 일엔 애당초 그 어떤 아름다운 실마리도 없다는 걸, 누군가 우연히 제 손가락 마디를 이용해 실을 감고 조심스럽게 덧감아 나가면서 만들어놓은 빈 공간, 누군가의 손가락이 빠져나가버린 그 허사의 자리에 자신이 도착했다는 걸.(〈처녀치마〉)

이제 생엔 겨냥하며 걸어야 할 아무런 좌표도 없으며 삶을 영롱한 빛으로 채색했던 지나온 시절의 꿈 역시 텅 빈 하나의 공허일 뿐이라는 여자의 뒤늦은 깨달음, 그것은 《처녀치마》에 등장하는 모든 인물들의 행동의 근저에 자리한 어둡고 견고한 인식의 성채에 다름 아니다. 생물학적 나이와는 무관하게 '파안대소'와 '대성통곡'이 구별되지 않는 "둔탁한 사물의 세계"로 접어들었노라고, 이제는 "다 고아 먹은 사골"과 같은 삶을 살겠노라고 말하는 사람들. 한 남자는 학창 시절 연정을 품었던 동창과 육 년 만에 재회해 일회적인 섹스를 나누고 돌아서며 "제 몸의 녹이 뚝뚝 떨어져도 늙은 자는 더 이상 아프지 않으리라. 녹꽃은 더디게 피니, 그곳은 아주 오래전에 다친 곳"(〈12월 31일〉)이라 되뇌고, "사람이 얼마나 고귀해지면 자신의 비천함을 아무렇지 않게 받아들이게 되는지"를 묻는 한 여자는 "결코 매혹되지 않은 것들에 둘러싸여 살기"를 원하며 '순수한 형식' 혹은 '완벽한 인위'로서의 결혼 생활을 지속해나가며(《두리번거리다》), 동성 애인과 스스로도 이해할 수 없는 도돌이표를 그리며 인연을 이어가고 있는 한 소설의 주인공(《나쁜음자리표》)은 급기야 이렇게 단언한다. "이제 나는 양손의 패를 얌전히 뒤집는다. 다행이다. 둘 다 나쁘다."

얼핏 보기에 적당히 조로한 인간들의 무력한 자기변명과 애처로운 자기 위안을 실어놓은 듯한 이런 진술들이 싹트는 자리는 예상과는 달리 훨씬 근본적이며, 그래서 독자는 담담한 진술들의 문면에서 배어나오는 감정의 깊이를 보다 더 통렬하게 경험하게 된다.《처녀치마》의 인물들은 삶에는 더 이상 아무 기대할 것도, 또 더 이상 삶이 나빠질 것도 없다고 믿는, 아니 정확히 말해 그런 진실을 '아는' 자들이다. 그러니 인물들이 무심히 뱉는 저 잠언과도 같은 말들은 빈약하고 얄팍한 내면을 가까스로 위장하려는 넋두리와는 아무런 관련이 없다. 이 소설들이 흔하디흔한 포즈로 전락하지 않는 것은 이러한 진실을 소설의 중추로 불러들이는 작가의 그 발본적인 태도에 있다. 그 중추, 다시 말해《처녀치마》의 소설들을 관통하는 핵심이란 한마디로 '무의미한, 그래서 악마적인 반복'으로서의 삶이다. 나/당신은 언제나 스스로 원치 않는 그 일,

해서는 안 될 그 어떤 행위를 생의 어느 지점에서 반드시 되풀이하게 될 것이다. 나/당신이 언제나 돌아가게 되는 지점을 '덫'이라 해도 좋고, 그런 되풀이를 가장 친숙한 어법을 빌려 '운명'이라 해도 좋지만, 그 악순환의 고리를 끊을 길은 없다……

　이런 관점에서라면 차라리 지칠 줄 모르고 반복되는 것은 다시는 그러지 않겠다고 다짐하는 다분히 인간적인 후회일 뿐이다. 원치 않는 것을 거듭해야만 하는, 혹은 똑같은 그 자리로 매번 돌아가야만 하는, 그 힘에 자신의 몸을 빌려준 인간에게 어떤 아량도 허락하지 않는 모질고 강박적인 순환. 만약 우리 삶을 그러한 반복이 주관한다는 작가의 잔인한 통찰에 동의할 수 있다면, 우리가 그 악마적인 얼굴을 어떤 '관계'에서 가장 날카롭게 확인하게 된다는 사실 역시 별도리 없이 수긍하게 될 것이다. 그것이 가족 간이건 연인 간이건 아니면 생면부지의 타인들 간이건 인간이 관계 맺는 방식은 결코 변하지 않으며, 그 관계가 불량한 것일수록 인간은 그것이 낳는 해로움 자체에 쉽게 중독된다. 책을 펴내며 작가가 스스로의 소설을 "모든 관계의 형상"을 본뜬 '戀愛'라는 문자에 빗댄 것은 그런 의미에서 적확하다.

　이 소설집의 모든 것을 응축하고 있는 가편 〈처녀치마〉에서, 작가는 이 테마를 어머니의 인생을 고스란히 되풀이하고 있는 한 여자의 귀향 스토리를 빌려 탐구한다. 주인공은 육 년 만의 귀향이 짐짓 아무 의미 없는 휴가인 양 꾸며대지만, 이 여자가 고향으로 떠난 이유는 실상 어떤 남자 때문이다. 경주마와 같았던 젊은 날을 뒤로하고 만신창이가 된 남자는, 두 번 이혼하고, 잠자리에서는 다른 여러 여자의 이름을 부르고, 만취하면 방 곳곳에 침을 뱉고 담뱃재를 터는, "회복할 수 없이 다친 괴물"과도 같은 위인이다. 문제는 그 점을 잘 알면서도 이 여자가 그 관계로부터 벗어나고자 하는 아무런 시도를 하지 않는다는 데 있다. 그런 주인공 여자에게 아마도 독자는 어서 빨리 사랑이라는 미혹에서 벗어나 제 갈 길을 가라고 충고하고 싶어질지도 모른다. 그러나 그런 해결책은 그것이 바람직한 만큼, 단순하고 간편하다. 권여선은 그런 유익한 정답을 내놓는 대신, 여자가 허우적거리고 있는 악마적인 관계의 늪을 운명적인 스케일로 확대하는 길을 택한다. 영감을 주지 못한다는 자책 속에서 예술가 남편의 "쓰레기통, 타구통, 변기통"으로 평생을 산 어머니의 삶과 현재 주인공의 삶이 한 치도 다르지 않음을 보여주면서, 아무리 피하려 해도 어쩔 수 없는 것이 운명이라면 도망치려 하지 않고 그 운명을 온몸으로 끌어안을 용기가 있는지를 차라리 참혹하게 자문

해보라고 주문하는 것이다.

《분홍 리본의 시절》이나 〈사랑을 믿다〉와 같은 근작들을 먼저 접한 독자들은, 《처녀치마》를 읽으며 권여선이 작가로서 어떤 문턱을 낮은 포복으로 힘겹게 넘고 있다는 인상을 어쩔 수 없이 받게 될지도 모른다. 생일을 맞아 고향으로 여행을 떠나는 여자(〈처녀치마〉)나 하루가 지나면 마흔이 될 남자(〈12월 31일〉)처럼 이 작가가 자신의 세계로 데려다놓은 인물들이 바로 그 문턱에서 그러하듯이, 혹은 '두리번거리다'나 '수업시대' 등의 소설 제목이 이미 암시해주고 있듯이. 그리고 마침내 이 작가의, "고통을 죽을 때까지 반복해야 하는 운명"(〈분홍 리본의 시절〉)에 대한 탐구는 《분홍 리본의 시절》에서 보다 더 힘 있는 문학적 의장을 얻게 된다.

관계, 그 잔혹한 희극

2007년 초 권여선이 펴낸 세 번째 책의 표제는 '분홍 리본의 시절'. '풀'의 빛깔에서 기원한, 청명한 하늘과 너른 들판을 떠올리게 하는, 덜 익었으되 맑고 신선한, 그래서 '틈새'라는 어휘와 잘 어울리는 '푸르른'이라는 첫 책의 수식어는, (과거의) 특정한 시기를 가리키는 '시절'이라는 단어와 함께 '분홍'이라는 색채어로 바뀌었다. 그런데 이 작가에게 분홍이라니.

분홍粉紅. 여인의 옷이나 입술을 단장하는 연하게 붉은, 진달래 등의 봄꽃들의 화사한, 핑크보다는 덜 경박하지만 덜 세련되게 느껴지는 이 빛깔에서 권여선의 독자들은 어떤 혼란을 느끼게 될지도 모른다. 아마도 그 혼란은 이 책에 수록된 한 소설에서, 어울리지 않는 분홍색 제복을 착용한 거구 여인의 이미지와 마주할 때의 당혹스러움과 비슷한 것이지 않을까. 만약 그런 느낌에 사로잡히게 된다면 우리는 이 작가를 제대로 읽고 있는 것이다. 낮은 채도의 탁함, 불안하게 넘실대는 색스러운 살의 기운, 조화롭지 않은 불편함, 그래서 종국에는 비유컨대 《당신들의 천국》(이청준)에서 인물들이 저주했던, 문드러져가는 분홍색에 가까운 빛이 될 그런 분홍. 그것이 권여선의 분홍이다.

　이십 년이라는 시간의 더께와 함께 '푸름'이 '분홍'으로 변해가는 동안, 권여선은 자신의 작가적 색채의 프리즘을 보다 강렬한 잔기殘基를 남기는 쪽으로 꾸준히 이동시켜왔다. 예컨대 읽는 이가 자기도 모르게 군침을 삼켜 혀를 적실 정도로 월등해진, 금방이라도 끓어 넘칠 듯한 탐심으로 꽉 찬 감각적 묘사를 보라. 맛집 순례, 식당에서의 까다로운 주문, 공들여 차려진 음식 앞에서의 감격에 찬 논평 따위는 《푸르른 틈새》에서부터 여일한 권여선의 트레이드마크지만, 어느 페이지를 들추어보아도 어김없이 출몰하는 다양한 먹을거리와 그로부터 영감을 얻은 묘사는 《분홍 리본의 시절》을 기점으로 확실히 어떤 경지에 오른 느낌이 있다. 그러나 오감을 즐겁게 하는 그 음식들보다 더 이 작가를 매료시키는 것들은 따로 있으니, 역하고 비리고 독한 것들에 대한 맹목적인 끌림이야말로 권여선만의 작가적 인장이 아로새겨진 자리다. 이를테면 이 작가는 "시고 역한 갯내"(《약콩이 끓는 동안》)와 "독한 땀내"(《솔숲 사이로》), "쿰쿰한 진액"(《문상》)과 "살이 모조리 썩고도 껍데기만은 굳게 닫혀 껍데기 양 귀로 부글부글 독을 괴어올리는 조개의 액 같은 역한 침 자국"(《위험한 산책》)에 거의 애착에 가까운 집념을 가지고 있다. 이러한 집념은 더 말할 것도 없이, 그 모든 시고 메스꺼운 것들을 매순간 뱉고 토해내고 또다시 제 속으로 집어삼킬 수밖에 없는 우리 일상인들의 심부를 낱낱이 파헤치고자 하는 지독한 열정의 산물이다.

《분홍 리본의 시절》은 여러모로 권여선식 인간 탐구의 중간 결산이라 할 만하다. 무슨 이유에선지, 또 언제부터인지, 심신의 시계추가 심각하게 고장이 나버린, 한 소설의 표현을 빌리자면 '흉물스러운 불구'들과 '실수투성이의 괴물'들이 이 무대의 주연들이다. 비루한 성욕과 누추한 이기심이 곳곳에서 똬리를 틀고, 더러는 위선적이고 더러는 위악적인 기만의 포즈들이 여기저기서 혀를 내밀며, 가학과 피학이 꼬리를 물고 얽힌 스산한 풍경. 그 풍경 속에서 가슴 깊숙이 도사리고 있던 증오는 순식간에 격발하고, 가지런히 정돈되어 보였던 일상은 짧은 파국과 함께 곰팡이 핀 이면을 드러내고야 만다.

정황이 이와 같으니, 온통 "내뱉하는 악기"와 "내지르는 악기"(《약콩이 끓는 동안》)로만 이루어진 권여선 악단의 연주는 오로지 평화로운 선율만을 듣기를 원하는 청중들에게는 낯설고 불쾌할 수도 있다. 그러나 세간의 오해와는 달리 이 작가의 미덕은, 인간의 어쩔 수 없는 나약함을 아낌없이 조롱하고 경멸하는 데 있지는 않다. 권여선 소설이 독자를 기습하는 힘은 그보다는 이 작가가 '어머니'(《가을이 오면》), N(《반죽의 형상》), 수림(《분홍 리본의 시절》), 우정미(《문상》), '남편'(《위험한 산책》) 등 일련의 적대적 캐릭터를 운용하는 방식으로부터 산출된다. 적대적 인물(과 그 인물이 주동 인물과 관계 맺는 방식)은 처음에는 주동 인물에 의해 신랄하게 해부되지만 사건이 진행되고 서사가 축적될수록, 반목과 질시를 거듭하며 애증으로 묶여 있던 이들이 결국은 다 똑같은 자들이라는 "뒤통수를 내리찍는"(《분홍 리본의 시절》) 듯한 진실이 베일을 벗는다.

가령, 치명적인 모녀 관계를 다룬 엘프리데 옐리네크의 문제작 《피아노 치는 여자》를 연상시키는 〈가을이 오면〉에서 먼저 해부되는 쪽은 적대적인 인물인 어머니다. 어머니는 너무나도 우아한 여성이지만, 그러한 '우아'는 자신의 관객들을 매순간 의식하는 어머니에 의해 '연기'되는 것이며, 그 실체를 아는 사람은 스스로를 "어머니의 발톱 앞에 놓인 하나의 희생물"로 여기는 딸 로라뿐이다. 어머니에게 "조롱적일 만큼 낭만적인" 이름을 물려받은 딸 로라는 그래서 진물이 흐르는 얼굴을 하고 땡볕을 쏘다니는 자학으로, 어머니의 유일한 생산물이자 회피할 수 없는 증거인 자기 자신을 망침으로써 어머니의 우아를 최대한 모욕하는 길—그렇게 우아한 당신이 만든 이 창조물을 보라—을 택한다. 이 소설은 바로 그럼으로써 로라가 자신이 그토록 혐오하던 어머니와 닮은 꼴이 되어버리는 역설적인 순간을 섬뜩하게 포착한다. 어머니의 연기에 들려 있는 한, 로라 역시 어머니라는 유일무이하고 절대적인 관객을 향해 끊임없이 '연기'해야만 하는 악순환에서 결코 헤어 나오지 못할 것이기 때문이다. 인간관계의 중심에 가로놓인 이 혹독한 진실은, 가벼운 어조로 중산층 부부의 안온한 일상을 까발리는 것으로 시작하였으나 그것을 이내 부차적인 문제로 돌리고 그들과 "추잡한 연루"를 꿈꿔온 주인공 '나' 안에 도사리고 있는 검은 심연을 냉엄하게 들여다보는 표제작 〈분홍 리본의 시절〉에서 다시 한 번 깊이 있게 묘파된다.

밥상 앞에서 침을 튀기며 곡예와도 같은 설전을 벌이는 모녀와 그 와중에도 이에 아랑곳하지 않고 밥 먹기에만 열중하는 남자를 포착하는 〈가을이 오면〉의 한 희극적인 장면을 잠시 떠올려보자. 엄마의 사랑에 감금된 딸과 두 모녀 사이에 끼어든 한 남자가 이루는 기묘한 심리적 트라이앵글을 절묘하게 숨겨놓은 이 짤막한 장면은 우스꽝스럽지만 동시에 잔혹하다. 권여선 소설의 갈피에서 이러한 장면들과 마주친 독자는 불현듯 알게 된다. 그들이 맺는 기이한 관계가 민망한 것은, 그들 삶의 단면이 우리가 일상에서 수없이 행하고 또 시시때때로 관찰하는 광경이기 때문이라는 것을.

권여선은 섣부른 동정과 연민을 거칠게 사양하며, 대신 인물을 향한 메스를 작가 자신을 포함한 우리 모두의 가식과 허위를 향한 메스로 바꾸어놓기를 주저하지 않는다. 그 메스에 의해 환부가 벌려지고 상처가 터져 고름으로 흘러내리는 모습은 고개 돌려 외면하고 싶을 정도로 비루하지만 바로 그렇기 때문에 권여선 소설에는 함부로 넘보기 힘든 품격이 굳건히 살아 있다. "네가 진정 가슴을 치고 울어본 적이 있느냐. 남자나 실연 때문이 아니라 네 하찮음, 네 우열함, 네 교정되지 않는 악마성 때문에 입술이 새파래지도록 삶을 저주해본

적이 있느냐"(《분홍 리본의 시절》)라는 사무치는 물음 앞에 부끄럽게 고개 숙이지 않을 수 있는 자, 과연 누구란 말인가.

　권여선은 희미한 회중전등 빛에 의지해 관계라는 인간 동굴, 그 끝까지 내려가기를 자처한 우리 시대의 진정한 탐사자다.

권지예를 말한다

내면으로 감춰진
삶의 표정

문학평론가 이현식

보기 좋게 어긋난 선입견

새침데기 같은 도시풍의 얼굴을 가진 여자였다.《라삘륨》이라는 잡지는 새로 등단한 신인이라며 사진을 곁들여 권지예라는 여성 작가의 작품을 실어놓고 있었다. 이화여대 영문과를 졸업하고 프랑스에 유학 중이라는 사진 밑에 붙어 있는 소개문이 처음엔 거북살스러웠다. '영문과를 나와서 웬 프랑스?' 하는 생각이 들었다. 그녀의 얼굴도 전형적인(?) 이대 영문과를 졸업했을 법하고 프랑스 같은 고상한 나라에나 유학할 것 같은 유한마담처럼 보인 터였다. 대학 시절 영문학을 공부하면서 그런 여자아이들 틈바구니를 꾸역꾸역 버텨낸 나로서는 처음부터 선입관이 좋을 리 없었다. "제대로 된 작품이나 쓴 건지, 원……" 하면서 〈두 개의 꼭두각시 인형〉을 읽어나갔다.

나는 한 출판사의 요청으로 그해(1997년)에 문예지로 등단한 작가들의 작품선집을 꾸리는 중이었다. 신춘문예 등단 작품집이야 기왕에 몇몇 출판사에서 매년 출간되고 있었지만, 정작 주요 문학잡지를 통해 등단한 작가나 시인들의 작품은 제대로 묶여 나온 적이 없다는 편집자의 아이디어가 나로 하여금 이런저런 문학잡지를 뒤적거리게 만든 것이었다. 하긴, 나 역시 그해에 막 등단한 풋내기 평론가에 불과했었다.

한 이십여 편이 넘는 작품 가운데 일고여덟 편의 소설을 추리는 작업에서 나는 별다른 주저 없이 권지예의 작품을 골라낼 수 있었다. 처음의 선입견이 보기 좋게 어긋나고 말았던 것인데, 그만큼 그녀의 작품엔 그 나름의 힘이 느껴졌었다. 당시 작품선집 말미에 붙인 해설 원고 일부를 인용해본다.

이 소설은 남편의 시선과 아내의 시선, 그 차이로부터 의미가 형성되고 있다. 이 소설의 원제가 〈이중주〉였던 점을 감안한다면(〈두 개의 꼭두각시 인형〉이란 제목은 편집자가 임의로 수정해 붙인 것이다. 내가 보기에 이 두 제목은 하늘과 땅 차이만큼 서로 다르다. 더구나 '꼭두각시 인형'이라니!) 더욱 그렇다. 아내는 스스로의 행동을 반성하고 남편의 문제를 고민하는 삶의 주체로 등장한다. 그래서 그의 목소리는 반성적이고 삶의 주인으로서의 그것이다. 그러나 반대로 남편은 자신의 삶, 특히 자신이 저지르고 있는 불륜에 대해 아무런 자의식을 갖고 있지 않다. 스스로 다른 여자를 만나고 있음에도 불구하고 남편은 지극히 평온하고 일상적이다. 오랜만에 아내를 만날 때조차 그는 죄책감, 미안함의 기미도 느끼지 않는 것이다. 남편을 지배하는 것은 일상적 삶이고 그런 점에서 남편이 내는 목소리는 삶에 의해 지배당하는 객체의 목소리다. 일상적이고 무반성적인 남편의 자아와 반성적이고 고뇌하는 아내의 주체적 자아는 그만큼 더욱 뚜렷하게 대비된다. 삶을 바라보는 이 두 시선의 차이에 소설의 핵심이 있고, 그것이 이 소설을 여느 소설과 구별시켜주고 있다.

문학, 혹은 소설에서 주체主體의 문제를 나는 지금도 매우 중요한 내 나름의 소설 독법으로 삼고 있는데, 그때도 그랬던 것 같다. '꼭두각시 인형'이라는 제목에 거부감을 갖게 된 것도 그 이유가 크다. 이 소설은 '꼭두각시 인형'의 놀음이 아니었던 것이다. 오히려 삶의 주인공으로 나아가고 있는 여성의 모습이 아름다워 보인 소설이었다.

스스로의 삶 속에 문학을 담고

내가 그녀를 직접 만날 수 있었던 것은 책이 출간되고 얼마

안 있어서였다. 프랑스에서 집안일로 잠깐 귀국했다는 그녀를 출판사에서 만났다. 사진에서나 실물에서나 내가 받은 인상은 비슷했다. 아담한 체구이면서도 깍듯하고 예의 바른 서울깍쟁이의 모습이 거기 있었다. 그래서 고향이 경주라는 말을 듣고 의외라는 생각을 잠깐 했던 것 같다.

그러나 사람은 겉볼안이 아니라는 것을 나는 권지예 작가를 만나면서 실감한다. 그녀는 새침데기도 아닐뿐더러 서울깍쟁이도 아니다. 물론 호사스럽게 프랑스 유학을 '즐겼던' 것도 아니다. 대학을 졸업하고 중학교 영어 선생을 하다가 낭만적이고도 열정적인 사랑 끝에 미술 평론을 하는 지금의 부군을 만났다. 모든 것을 팽개치고 공부하러 떠나는 남편을 따라 프랑스로 날아갔고 그곳에서 악다구니 같은 삶과 생활을 겪어냈다. 두 남매의 어머니로 한 남편의 아내로 그녀는 생활인이 되었다. 못하는 요리가 없을 만큼 모든 것을 집에서 만들어 아이와 남편을 먹일 만큼 그녀는 억척스럽게 프랑스 생활을 감내해냈다. 그녀의 소설에서 만나는 일상들이 죽어 있지 않고 살아 숨 쉬는 생활로 느껴지는 것도 아마 그래서일 것이다. 그녀의 소설은 그냥 젠체하면서 분위기만 띄우는 소설이 아니다.

그 힘든 와중에서도 한국문학으로 프랑스에서 비교문학

박사 학위를 취득했다. 김동인을 주제로 인간의 본능과 욕망을 연구했다. 그녀는 삶에 대한 열정과 문학에 대한 관심이 잘 정돈되어 내면으로 감춰진 사람이다.

그녀나 나나 등단한 지 얼마 되지 않는 풋내기로 동병상련의 정을 주고받으며 자주 시간을 함께 보냈다. 프랑스에 머물던 그녀로서는 이따금 한국에 들를 때마다 그래도 편하게 만날 수 있었던, 명색이 문인인 사람이 나밖에 없던 터였다. 물론 나 역시 제대로 알고 지내는 작가도 한 명 없던 처지였다. 그런 인연으로 누이 같은 그녀를 만나 문학 공부에 도움을 얻는 경우가 적지 않았다.

가끔 내가 주워들은 문단 소식을 전해주기도 했고 그 무렵 읽은 작품들에 대해 되잖은 생각들을 주절주절 읊어대기도 했던 것 같다. 그렇지만 그녀는 함부로 자신의 열정과 문학에 대한 고민을 내비치지 않았다. 왜, 세상이 알아주지 않는 신인 시절의 조급증과 우울함, 자괴감은 얼마나 이겨내기 힘든 것인가. 그렇지만 그녀에게선 그런 조급증이나 우울함이 보이지 않았다. 내게 그녀는 그냥 스스로의 삶을 살아가는 것이고 거기에 문학이 있는 것으로 비쳐졌다. 이미 그녀는 나처럼 안달복달하는 나이를 넘어선 것인지도 몰랐다.

교통사고, 그리고 〈뱀장어 스튜〉

내가 그녀를 그래도 조금 더 자주 보게 된 것은 그녀가 프랑스 생활을 마치고 인천에 정착하면서부터였다. 친정 근처라는 현실적인 이유로(그녀의 친정이 인천으로 이주한 것도 얼마 되지 않았다고 들었다) 인천에 정착한 그녀를 작은 모임에 소개하면서 비교적 자주 만날 기회를 가졌다. 인천이 고향인 나야 그렇지 않았지만 낯설고 물선 그녀로서는 인천에서 정붙이고 살려면, 게다가 작가로서 긴장감도 가지려면, 그런 모임도 필요하지 않을까 생각해서였다. 더구나 그 모임은 인천이라는 지역의 문화 현실을 고민하는 사람들이 정기적으로 화합하는 형식으로 이루어졌으면서도, 괜찮은 문인들도 회원으로 참여하고 있는 부담 없는 자리였다.

평론가로 이미 일가를 이루었으나 지역 문제에도 나름대로 진지한 고민을 하고 있는 최원식 선생이나 계간《황해문화》의 주간을 맡고 있는 김명인 선생, 번역가로 많이 알려졌지만 여전히 소설가일 수밖에 없는 김석희 선생, 시 쓰는 장석남과 박영근 형, 소설 쓰는 천운영,《문학사상》평론으로 이미 예전에 등단한 김창수 선생, 그 외에 지역 문화계에서 활동하는 이런저런 사람들이 한두 달에 한 번씩 편안하게 모임을 갖는 장소에 그녀를 소개했다.

학위를 마치고 조금 여유를 찾은 그녀는 그 모임에 꽤 열성적으로 참여했다. 새롭게 만나는 사람들도 사람들이지만 오랜 시간 논문 쓰랴, 소설 쓰랴, 집안 살림하랴 여유가 없던 차에 그런 편안한 관계 자체가 반가웠으리라. 마침 그녀와 연배가 비슷한 몇몇 회원들은 마치 대학 때의 친구처럼 말을 놓고 서로 편하게 대했다. 뜻하지 아니한 교통사고로 오랜 시간 병원에 누워 지냈을 때 그녀를 진심으로 걱정하고 찾아가 위로했던 것도 그들이었다.

〈뱀장어 스튜〉는 아마도 그 시절의 작품이지 싶다. 오랜 시간 병원에 누워 있으면서 어쩌면 그녀는 그녀답지 않게 조급해했거나, 힘들어했던 것 같다. 그 무렵 우리 모임의 홈페이지에 그런저런 넋두리를 늘어놓았던 것을 읽은 기억이 난다. 그때 최원식 선생께서 하신 작가가 겪어야 하는 경험, 현재의 조건을 창작의 동력으로 삼으라는 응원의 말도 인상에 남는다.

질풍노도 같은 시기

그 모임에서 우리는 참 많은 술을 마셨다. 인천이라는, 서울의 주변부가 갖는 문화적 소외에 대해서도 많은 이야기를 나누었지만 인간적인 대화도 빠지지 않았다. 권지예 작가는 그때도 별로 흐트러짐이 없었다. 술을 마시나 안 마시나 그녀는 별 변화가 없어 보였다. 적어도 내게는 항상 손위 누이 같은 모습으로 술 취한 나를 대했을 뿐이다.

언젠가 그 모임의 술자리에서 술이 거나해지자 정말 궁금한 것을 물어본 적이 있었다. 그녀의 소설을 거의 빼놓지 않고 챙겨 읽으면서 들었던 의문이기도 했다. 명색이 평론가라는 사람이 그런 어처구니없는 질문을 해도 되는지 하는 의구심도 일었지만 어쩌랴, 궁금한 건 궁금한 거였다. 술을 핑계삼아 내뱉어버렸다.

"권 선생님, 왜 선생님 소설에는 항상 가족 속에서 힘들어하는 여성이 나오나요? 그리고 언제나 다른 사랑을 꿈꾸기도 하고 불륜으로 괴로워하는 여자가 주인공으로 나오는 것도 그냥 소설에 불과한 건가요?"

"그게 어디 소설이기만 하겠어요. 제가 사는 것도 힘들다는 표시겠지요."

어렵게 한 질문이지만 그 질문에 대한 대답도 간단치 않았다. 그 무렵 그녀는 살아가는 문제에 대해 매우 힘들어했던 것 같다. 그녀 스스로도 질풍노도 같은 시기에 자신이 서 있다고 말하기도 했으니까. 그러나 그 이상은 나도 모른다. 가정과 일과 아이들과 남편과 그런 속에서 살아가는 일이 그렇게 녹록한 일만은 아닐 것이라고 짐작만 했을 뿐이다. 남자로서, 혹은 여자로서 가족 속에서 가정을 꾸리며 살아가는 문제들에 대해 더 깊은 이야기를 나눌 시간을 우리는 갖지 못했다. 약속은 했지만 그게 말처럼 쉽게 되는 일은 아니었다. 유감스럽게도 나 역시 한 작가를, 아니 한 인간을 허심탄회하게 이해할 수 있는 그런 기회를 놓쳐버린 셈이었다.

삶의 당당한 주인공

이제 그녀는 새로운 기로 위에 서 있다. 지금의 그녀는 '어느 날 잠에서 깨어보니 자신도 모르게 무대 위로 이끌려 올라간 것'이나 다름없는 형국에 놓여 있다. 그간의 작품 활동을 정리하는 첫 작품집도 곧 출간될 예정이라고 한다. 게다가 그녀는 지금까지와는 다른 낯선 환경에서 대학 선생으로서의 삶을 시작할 참이기도 하다.

그녀를 보면서 사람의 운명이란 것을 생각하게 된다. 옆에서 지켜본 사람으로서는 너무도 일순간에 많은 것이 뒤바뀌고 있다는 느낌, 그래서 한편으로는 염려스런 마음도 없지는 않다. 그러나 그것이 어찌 한순간의 일일 것인가. 오랜 시간 갈고 닦아온 그녀의 노력이 이제야 제대로 평가받는다고 말해야 하지 않을까.

늦깎이로 등단했지만 그만큼 한국문학의 새로운 길을 개척해 나아갈 의무가 이제 그녀의 어깨 위에 드리워졌다. 한국문학, 특히 중년의 중산층 여성을 주인공으로 한 숱한 소설들 속에서, 그녀의 소설이, 그 여성들을 오늘의 세상과 삶의 당당한 주인공으로 섬세하게 불러 세울 것을 기대해본다. 정갈하고 차분하게 갈무리된 그녀의 삶의 표정이 그것을 가능하게 만들 것이다.

이상문학상
대상 작가를
말한다

김경욱을 말한다

김경욱은
늙지 않는다

소설가 윤성희

재미없는 사람

김경욱은 재미가 없다. 첫 줄을 이렇게 써놓고 나는 약간 주춤한다. 수상을 축하하는 글에 쓸 적절한 첫 문장은 아니라는 것쯤은 나도 안다. 그래도 이렇게 말하고 싶다. 김경욱은 재미없는 사람이라고.

이 글을 쓰기 전에 동료 작가들을 만날 일이 있었다. 그 자리에서 후배 K와 이런저런 이야기를 하다 경욱 선배의 작가론을 써야 한다고 말했더니, 그 후배가 이렇게 말했다. "쓸 말이 있을까요? 뭐, 술을 먹고 실수를 하기를 하나." 그렇다. 김경욱은 이런 글을 쓸 때 양념처럼 들어가는 재미있는 에피소드를 남길 만한 사람이 아니다.

동료 작가의 시상식에 축사를 할 때나 지금 이 글처럼 작가 초상을 쓰게 될 때면, 한 며칠은 그 작가에 대해 생각하게 된다. 생각하다 보면 지난날의 내 세월도 같이 추억하게 되는데 그것이 꽤 괜찮다.

그래서 주말 내내 경욱 선배를 생각해보았다. 생각하다 그의 옛 단편을 한 편 읽고, 또 생각하다 단편을 한 편 읽고, 그런 식으로. 언제 처음 만났는지는 기억나지 않는다. 2004년에 한국일보문학상을 받았을 때 '평화만들기'라는 인사동의 한 술집에서 술을 마시며 오랫동안 이런저런 이야기를 했던 것이 기억나긴 하지만, 인상적인 장면은 떠오르지 않는다.

울산에서 서울로 올라와 한국예술종합학교에 자리를 잡은 뒤로는 술자리에 자주 나타났다. 누군가 책을 냈다고 만나고, 누군가 상을 받았다고 만나고, 누군가 마감을 했다고 만나고, 또 누군가 소설이 안 써진다고 만났다. 다들 삼십 대여서 체력도 좋았다. 그래서 아침까지 놀기도 여러 번. 그런 술자리들을 떠올려 봐도 경욱 선배가 술에 취해 실수를 했던 기억이 나지 않는다. 여기서 오해하지 말길! 그가 술이 세서 그런 것은 아니니까. 그는 늘 자기가 마실 양만 마셨다. 술자리를 주도적으로 이끄는 편이 아니라 그가 먼저 무슨 안주를 먹으러 가자고 말한 적도 없는 것 같다.

평창동 육교 아래에 있는 간판도 없는 포장마차에서—간판은 없지만 다들 '절벽'이라고 불렀던 그 술집에서—경욱 선배가 만취를 했다는 이야기를 동료 작가에게 들은 적이 있다.

그 이야기를 들었을 때 나는 그 자리에 없던 게 너무나 아쉬
웠다. 술 취해 누군가에게 업혀가는 김경욱의 모습을 보는 일
이 어디 흔할까. 어쩌면 앞으로 영영 못 볼지도 모른다. 개그
프로그램의 유행어도 못 알아듣고 최신 예능 프로그램을 이
야기해도 잘 모르는 눈치였지만, 그래도 그는 흐트러지지 않
는 자세로 술자리에 앉아 있었다. 그는 남을 웃기지는 못해도
남들이 하는 이야기를 늘 진지하게 들었으며 잘 웃어주었다.
나는 그가 재미없는 사람이라고 말했지만, 그렇다고 그는 술
자리를 재미있게 하려고 억지로 노력해서 오히려 분위기를
썰렁하게 만드는 그런 사람은 아니었다.

　아, 생각해보니 나는 단 한 번도 경욱 선배가 화를 낸 걸 본
적이 없다. 그가 울분에 찬 것도 본 적이 없다. 또 생각해보니
나는 단 한 번도 그가 깔깔거리며 큰 소리로 웃는 것도 본 적
이 없다. 그는 늘 이가 보일 정도의 미소만 지었다. 그에게는
늘 똑같은 주파수를 유지하는 능력이라도 있는 것일까. 이 대
단한 평정심은 어디에서 오는 것일까?

인상적인 사람

　습작 시절 나는 이상한 편견을 가지고 있었다. 소설가란 픽
션에 어울릴 만한 자기만의 삶이 있어야 하는 게 아닌가, 하

고.《존재의 세 가지 거짓말》을 읽고 나는 이런 생각까지 한 적이 있었다. 이 작가처럼 공장에라도 다녀야 하는가, 하고. 아고타 크리스토프의 약력을 보면 스위스에서 시계공장 일을 하며 가난과 싸웠다는 문장이 있었기 때문이었다.

소설이 안 써질 때마다 나는 너무 평범한 사람이라 그렇다는 핑계를 댔다. 지금은 그런 생각을 했던 이십 대의 시절이 부끄럽다 못해 귀엽게 여겨지기도 한다. 암튼, 그런 고민을 하던 시절 나는 어찌어찌해서 소설로 등단을 했다. 소설가가 되었다는 것은 무서운 일이었지만, 소설가가 되어 평소 좋아하는 작가들을 만나고 그들과 친밀한 이야기를 나눌 수 있게 된 것은 행복한 일이었다. 그때 만났던 많은 선배들을 통해 나는 소설가의 태도를 배울 수 있었다. 시계공장 따위의 생각은 하지 않았다. 그때 만난 선배들 중 단연 인상적인 사람은 경욱 선배였다. 저렇게 소설에 자기 지문을 하나도 묻히지 않는 작가가 있을 수 있을까? 나는 그게 신기했다.

변하지 않는 사람

소설가 김경욱을 아는 사람들이라면 누구나 그가 다작을 한다는 것을 알 것이다. 얼마나 다작을 하는지 소설기계라는 별명이 있겠는가. 최근의 출간 속도를 보자면 거의 일 년에

한 번꼴로 책을 내는 것 같다.

지금 사는 집으로 이사를 와 책장 정리를 할 때 나는 김경욱, 김연수, 김중혁 작가를 한 칸에 꽂아 두었다. 그런데 그 셋이 어찌나 책을 자주 내는지 재작년에 경욱 선배의 책들을 옆 칸으로 옮겨야 했다. 세어 보니 책장은 한 칸에 대략 스무 권 정도의 책을 꽂을 수 있는데, 경욱 선배는 지금 속도로 보면 머지않아 오로지 자기 이름으로 된 책으로 한 칸을 차지하게 될 것 같다. 내 책장에서 한 작가가 한 칸 전체를 다 차지한 경우는 도스토옙스키밖에 없는 것 같다.

일 년이나 이 년에 한 번씩 '김경욱 드림'이라고 서명이 된 책이 배달될 때마다 나는 세 번 놀란다. 우선 첫 번째는 벌써 새 책이야! 하는 것이고, 두 번째는 경욱 선배의 이미지와는 전혀 다른 글씨체 때문이고, 세 번째는 우리가 알고 지낸 지 십오 년이 넘었건만 언제나 '윤성희 님께'라고 적는 반듯함 때문이다.

나는 경욱 선배가 글씨를 못 써서 참 다행이라는 생각이 든다. 그게 그의 유일한 빈틈처럼 느껴지기 때문이다. 그리고 나는 경욱 선배가 스무 권의 책을 내도 나에게는 늘 '윤성희 님'이라고 서명을 해서 보낼 것임을 안다. '성희에게'라고 다정하게 써줄 사람이 아니다. 나는 그가 변하는 게 싫다.

평정심을 타고난 사람

나는 그가 다작을 할 수 있는 원동력이 어디에서 오는지 함부로 짐작할 수 없다. 하지만 이런 생각을 해본다. 어쩌면 그가 재미없는 사람이기 때문은 아닐까, 하고. 나는 소설을 쓴지 이제 겨우 십칠 년밖에 안 되어 이런 말을 하는 게 부끄럽지만—그렇다. 내 앞에 있는 많은 선배들을 생각해보면 십칠 년은 아무것도 아니다—소설가는 좋은 이야기가 왔다가 오랫동안 놀고 갈 수 있도록, 될 수 있으면 백지 상태를 만들어야 한다고 생각한다. 그래야 감정으로부터 거리를 유지할 수 있으니까.

김경욱 작가가 가장 잘하는 게 있다면 바로 저 능력이다. 거리 유지. 그러다 보니 그의 수많은 소설들은 그와 하나도 닮지 않은 것 같지만 또 그와 전부 닮았다. 그의 소설에 등장하는 많은 인물들은 김경욱의 태도에 영향을 받는다.

나는 소설을 쓴 지 십 년이 지나서야 비로소 그 사실을 희미하게 알게 되었다. 소설가가 일상을 성실하게 살아야 하는 이유를. 나의 태도가 내 소설 인물들에게 알게 모르게 영향을 주고 있기 때문이었다. 그러니 자기 지문을 하나도 묻히지 않는 작품이란 없는 것이었다. 나는 경욱 선배를 처음 만났을 때 느꼈던 첫인상을 몇 년이 지난 후 그가 발표한 많은 작품들을 읽으면서 수정했다. 그는 자기 지문을 묻히고, 그리고 자기 지문을 지우는 작가다. 숙련공이나 다다를 수 있는 능력이다.

소설을 쓰기 전에 나는 노트북의 빈 화면을 쳐다보며 이렇게 중얼거린다. 나는 백지. 나는 백지. 나는 백지. 세 번을 중얼거리고 나면 좀 위로가 되는 듯하다. 이제는 소설이 안 써질 때마다 내 삶에 이야깃거리가 없어서가 아니라 내가 덜 비워져서라고 생각한다. 내가 버거우면 주인공의 삶도 내 식으로 판단한다. 거기에서 오류가 생긴다.

경욱 선배의 평정심은 타고난 것이다. 그러니까 그는 노력으로 절제력을 유지하는 사람이 아니라 그냥 몸이 그렇게 맞춰져 있는 것 같다. 과한 게 체질적으로 몸에 없는 사람이랄까. 나는 이 글에서 경욱 선배가 재미없는 사람이라고 여러 번 말했는데, 그 말의 정확한 뜻은 밋밋한 사람이라는 말이 아닐까 한다. 작가가 밋밋하니 오히려 역설적으로 밋밋하지 않은 인물들이 그의 이야기 속에서 자연스럽게 펼쳐지는 것이 아닐까. 그래서 그는 뭘 쓸까 궁금해서 계속 소설을 쓰는 작가가 될 수 있는 것이다.

신인일 때 나는 경욱 선배에게 이런 이야기를 한 적이 있다. 나는 십 대 시절 문화적 영향이라고 여길 만한 취미 하나가지지 못하고 작가가 되었다고. 그러다 보니 그렇지 않은 작가들이 참 부럽다고. 작가가 되고 보니 나 빼고 모든 작가들이 십 대 시절 희귀한 앨범을 구해 듣고, 세계문학 전집을 읽고, 고독한 사춘기를 보낸 것처럼 보였다. 나는 위축되었다. 나는 가요톱텐에서 듣던 가요 말고는 아는 게 없었다.

내 말을 듣던 경욱 선배가 말했다. 나도 그래. 집에 오디오도 없었고. 그 말을 듣고 나는 얼마나 안심을 했는지 모른다. 아! 나 말고 또 있구나. 이렇게 생각했다.

그래서인지 나는 경욱 선배의 인터뷰나 에세이를 읽을 때면 어딘가 나와 비슷한 면이 있다는 생각을 하게 되었다. 좋아하는 작가도 비슷할 때가 많다. 그가 쓴 창작론에 관한 에세이를 읽다가 내가 써도 이렇게 썼을 것 같다고 생각한 적도 있다. 내 고민과 흡사해서. 내 방식과 비슷해서. 심지어, 경욱 선배와 나는 똑같은 신발도 가지고 있다. 같은 자리에서 똑같은 신발을 신은 걸 알고 건배를 한 기억이 있다.

영원한 신인

〈천국의 문〉을 읽다 과잉의 감정을 체질적으로 거부하는 작가만이 쓸 수 있는 죽음에 대한 이야기라는 생각이 들었다. 그리고 그가 쓴 단편들의 궤적을 그려보았다. 장국영에서 커트 코베인에서······ 아버지에게로 건너오기까지. 그 궤적을 눈에 보이는 형태로 만들고 의미를 찾아내는 일은 평론가들의 몫이니 나는 하지 않으려 한다. 사실 할 수 있는 능력도 내겐 없다.

다만 나는 그것을 쓰는 동안의 세월에 대해 생각해본다. 일년에 서너 편씩. 이십 년이 넘었다. 단편소설이라는 게 쓸 때는 어떤 변화를 감지하지 못하는데 그걸 한 권으로 묶어놓고 보면 조금씩 달라지고 있는 게 보인다. 또 하나의 소설집을 묶어놓고 난 뒤 그전에 출간한 소설집을 읽어보면 더욱 그 사실이 선명해진다. 나도 모르게 무엇인가가 움직이고 있다. 그걸 통해, 내가 쓴 글을 교정보면서, 내가 변한다.

김경욱 작가는 열세 권의 책을 냈다. 작가로서 그 책의 권수가 말해주는 의미는 열세 번의 교정을 보면서 미묘하게 변하고 있는 자신을 뒤늦게 발견하고 뒤늦게 깨달았다는 의미이기도 하다.

그는 열세 번째 책의 작가의 말에 이렇게 적었다. "열세 번째 '첫' 책"이라고. 그것이 소설가 김경욱이 늙지 않는 이유다. 늘 첫 책을 내는 신인이니까. 스무 번째 책을 내도 그는 '첫' 책을 내는 작가의 모습일 것이다. 영원한 신인. 그것은 아마 모든 작가들이 가장 부러워하는 작가일 것이다. 나도 그러하다.

2015년 제39회 이상문학상 대상 수상 작가
김숨을 말한다

선량한 사람이
좋다고 말하는
선량한 사람

시인 장승리

꿈 이야기부터 해야겠다.

그녀가 수상 소식을 들었다는 날 새벽에 나는 그녀가 나오는 꿈을 꿨다. 꿈에서 그녀는 울면서 소설을 저장해놓은 파일이 날아갔다고 말했다. 다행히 돕는 손길이 있었고 나중에 그녀는 파일이 복구될 것 같다고 했다.

나는 소설보다 그녀의 얼굴에 먼저 반응이 됐었다. 일면식도 없는 사진 속 그녀의 얼굴을 가끔씩 들여다보고 있곤 했을 정도다. 말을 걸어오는 얼굴이었고 말을 걸고 싶은 얼굴이었다. 그렇게 사진으로만 보던 얼굴을 이제는 종종 눈앞에서 보는 행운을 얻게 됐다. 우연히 어떤 자리에서 만나게 된 그녀에게 어느 날 연락이 왔고 귀가 전이던 나는 약속 장소로 한달음에 달려갔다. 그리고 그날 내 가방 속에 있던 클리포드

커즌이 연주한 모차르트 피아노 협주곡 음반을 그녀에게 선물로 주었다. 그 음반의 CD 두 개 중 하나를 집에 놔두고 나왔던 터라 나중에 주기로 했는데 그것이 그녀 집으로의 초대로 이어졌다. 그렇게 집을 좋아하고 음악을 좋아하고 강아지를 좋아하는 우리는 친구가 되었다. (그녀는 포그, 포아와 나는 바하, 랍스, 니나와 살고 있다. 바하와 니나는 그녀의 애정 어린 보살핌 아래 포그, 포아와 여러 날을 사이좋게 지내기도 했다.)

하루는 그녀의 얼굴을 보고 있는데 문득 누군가에게는 그려보고 싶은 얼굴이겠다는 생각이 들었다. 반대의 경우도 있겠지만 그림으로라면 모를까 이상하게도 사진으로는 포착할 수 없을 것 같은 그녀의 어떠함은 그것이 무엇인지 잘 모르겠는 채로 그녀의 표정에 잘 드러나 있었다. 표정보다 깊은 표면이 또 있을까. 아니, 표정보다 깊은 내면이라는 게 달리 있을까.

이전에 썼던 어떤 글에서 나는 이렇게 말했다.

어쩌면 김숨의 소설은 표정이라는 사건에 대한 기록일지도 모른다. 아니, 어떻게 표정 하나도 사건이 될 수 있는지 그녀의 소설은 보여준다. 이 사건은 사람을 넘는 법이 없다. 종결되는 법도 없다. 그것은 바닥에 닿지 못하고 떠도는 눈물의 수심 같은 것일까.

그리고 그녀는 내게 이런 글을 써서 준 적이 있다.

숫자 0을 닮은 소설이 있습니다. 시작에 대한 이야기이자, 끝에 대한 이야기. 시작과 끝이 만나 0이라는 텅 빈 무한의 공간을 만들어내는 소설. 제게는 《빌라 아말리아》가 그렇습니다.

나는 이 글이 본인의 소설에 대한, 혹은 본인이 쓰고 싶어 하는 소설에 대한 이야기일 수도 있겠다는 생각을 했다. 〈아녜스 바르다의 해변〉이라는 영화에서 아녜스 바르다가 했던 말이 떠오른다.

어딘지 몽유병자 같은 인물상(인) 제라르 필립에게 대낮에 '함부르크 왕자'의 복장을 요청했어요. 제가 생각한 건 밝은 태양 아래서(의) 만월의 효과였어요.

그녀에게 '함부르크 왕자'의 복장을 입힐 필요는 없으리라. 대낮에 보게 되는 그녀의 다크 서클을 떠올리면 더 그렇다. 밝은 태양 아래서의 만월의 효과. 나는 이 말이 그녀와 그녀의 소설과 닿아 있다고 느낀다. 불 속에서 흐르는 물같기도, 물속에서 타오르는 불같기도 한 그녀와 그녀의 소설은 그렇게 1보다는 2를, 2보다는 0을 닮았는지도 모르겠다.

〈뿌리 이야기〉를 발표하기 전에 그녀는 제목에 대한 내 의견을 물었다. 나는 되물었다. '뿌리 이야기'를 제목으로 염두에 두고 있는 이유를. 내색은 하지 않았지만 그때 그녀가 대답으로 해줬던 이야기들이 나는 마음에 들었다. 나중에 나는 그녀에게 내가 좋아하는 소설 중에 제목이 이야기로 끝나는 소설이 있다고 말해주었다. 페터 한트케의 《아이 이야기》가 그것이라고. 그리고 생각했다. 그녀의 〈뿌리 이야기〉가 그런 제목을 가진 소설 중에 내가 좋아하는 두 번째 소설이 될 수도 있겠다고.

그녀는 뿌리가 뽑혀 이식당하는 나무를 생각하면 공포감을 느낀다고 말했다. 결국 공포심이 이 소설을 쓰게 만든 계기이자 원동력이었을 것이다. 루이스 부르주아는 예술의 목적은 두려움을 극복하기 위한 것 그 이상도 그 이하도 아니라고 했다. 내가 이 말을 메모해놓은 이유와 그녀가 〈뿌리 이야기〉를 쓴 이유가 그리 다르지 않으리라.

뿌리는, 뿌리라는 것은 어쩌면 환상일지 모른다. 그러나 그런 환상에 기대서라도 뿌리를 내리고자 하는 우리의 어쩌함은 환상이 아니다. 그것은 엄연한 현실이다. 그러기에 환상이 부재할 때가 더 문제일 수 있다. 환상이라는 버팀목이 없다면 없는 현실을 살아야 할지도, 그건 어쩌면 사는 게 아닐지도 모른다. 그녀의 어쩌함에서 시작된 〈뿌리 이야기〉는 실은 우리의 어쩌함에 뿌리를 내리고 있는 것이다.

그녀가 타고난 소설가라고 느껴지는 순간들이 있다. 사실, 많다. 한번은 이런 일도 있었다. 그녀에게 〈비키퍼〉라는 영화에 대한 이야기를 하고 있었는데 여느 때처럼 주의 깊게 듣고 있던 그녀의 얼굴에 미세한 변화가 일어났다. 내 이야기가 다 끝나기도 전에 그녀는 '벌'이라는 제목으로 이미 소설의 구상을 끝마쳤던 것이다. 잠시 다른 곳에 가 있는 눈동자와 자신에게 찾아온 소설이 새어 나갈까 꽉 다문 입술, 곧 묘하게 얼굴 전체로 번지는 행복감이 이를 알려줬다. 반은 쓴 거라고,

그녀가 말했다.

방금 전 통화를 하다 그녀가 새 소설을 쓰는 중이었다는 걸 알게 됐다. 수상과 관련된 글을 쓰고 있을 거란 내 예상은 보기 좋게 빗나갔다. 타고난 것이 어떻게 탁월한 것이 될 수 있는지 그녀의 일상은 그렇게 보여주고 있었다.

그녀는 언젠가 자기는 선량한 사람이 좋다고, 그런 사람에게 끌린다고 말했다. 그런 사람이 있다면 그녀야말로 그중 하나일 것이다. 자신을 선량한 사람으로 생각하지 않으니 어쩌면 더. 선량함이 부산물 같다는 생각을 하기도 하는 난 아직도 그녀가 말하는 선량한 사람이 어떤 사람인지 잘 모르겠다. 하지만 선량한 사람이 좋다는 그녀가 궁금하다. 자신도 다 알지 못할 그녀의 어떠함이. 그리고 그것이 그녀의 소설을 어디로 끌고 갈지.

꿈 이야기로 이 글을 마무리 지어야겠다.

그녀와 나는 함께 작고 여린 나뭇잎들을 찬찬히 바라보고 있었다. 장면이 바뀌어 그녀가 내 앞에 커트 머리 가발을 쓰고 나타났다. 머리에 가발을 고정시키려고 꽂은 여러 개의 머리핀이 눈에 들어왔다. 그녀의 소설이 포착해내는 것이 그 머리핀 같은 것일지도……. 이 꿈 이야기를 해줬을 때 그녀는 시 같다고 말했다. 그녀의 수상을 진심으로 축하한다.

김승옥을 말한다

하나의 세계를
뒷전에 거느린 작가

소설가 송영

지하실 속에서의 삶과 사랑

겨울이 눈앞으로 성큼 다가오던 때의 일이다. 오후 3시쯤 우리는 방을 빌리려고 지하실의 계단을 내려갔다. 그곳은 어느 아파트의 지하상가였는데, 우리가 찾아간 곳은 지금 상가로 쓰고 있지 않은 우측 일부였다. 고객이 많지 않기 때문에 지하상가의 반쪽만 상가로 쓰고 반쪽은 어느 개인에게 임대해줬는데, 그 사람은 그곳에 이불 공장을 차려놓고 있었다.

우리가 만나고자 하는 사람이 바로 그 이불 공장 주인이었다. 그 사람 역시 지하실의 공간이 남아돌아 일부를 누구에게 다시 임대하고 싶어 했기 때문이다.

지하실로 내려가자, 희뿌연 형광등 불 아래 널려 있는 캐시밀론 이불의 화사한 무늬가 우리들의 시선을 끌었다. 재봉틀을 돌리고 있던 아낙네 하나가 우리에게 소파에 앉을 것을 권하고 주인이 잠시 출타 중이니 기다려달라고 말했다. 우리는 소파에 앉아서 말없이 재봉틀 돌아가는 소리를 들으며 주인을 기다렸다.

곧 주인 남자가 나타났다. 그 사람과 우리는 이불 공장 한쪽 모퉁이로 가서 우리가 빌리고자 하는 방을 구경했다. 그 방은 방이 아니었지만 일단 방의 형태를 갖추고 있었다. 빈 공간의 한쪽에 삼면의 벽을 만들고 온돌의 높이쯤에 판자로 바닥을 깔고 그 위에 다시 비닐을 덮은 그런 방이었다. 그 방을 보고 김승옥은 아주 만족스럽다고 주인에게 말했다. 생각보다 아늑하고 조용하고 그리고 넓다는 것이다. 김승옥은 아주 유쾌한 표정으로 주인과 방세를 흥정했다. 주인이 보증금 없이 월 10만 원을 요구하자, 김승옥은 쾌히 승낙했다. 그만하면 싸다는 표정이었다. 사실 싸기는 싼 방임에 틀림없었다. 이 도시에서 월세 10만 원짜리 방을 어디 가서 구할 수 있으랴. 게다가 이만한 위치에 중산층의 아파트 상가에 자리 잡고 있는 버젓한 방을 말이다.

방 얘기가 나왔으니 말이지만 정말 이 방이란 놈은 거만하고 냉혈적이다. 어딜 가나 방이 말썽인 것이다. 김승옥의 경우도 이 방이란 놈의 농간에 걸려서 지금 이 지하실까지 허둥지둥 달려온 것이다. 우리는 곧 주인과 복덕방으로 달려가서 정식 계약을 했다.

이제부터 김승옥의 지하실 시대가 개막되는 셈이다. 겨울이 코앞으로 다가오던 시절이었다. 이것은 1960년대의 얘기가 아니고 80년대의 얘기다. 그는 다음 날로 곧 짐을 옮기기 시작했다. 지하실 방에도 비어 있는 약간의 공간이 여분으로 딸려 있었다. 짐은 주로 그 공간으로 수용되었다. 유난히도 책이 많았기 때문에 이삿짐 운반은 꽤나 시간이 걸렸다. 전날 밤부터 시작된 운반 작업이 이튿날 저녁까지 계속되었다. 석양 무렵이 되어서야 가까스로 이삿짐 정리가 끝났다.

소파를 창고 바닥에 배열해놓고 우리는 캔 맥주를 사다가 마시며 담배도 피웠다. 실내가 어두워서 언제나 전등을 켜놓지 않으면 안 되었고, 실내 공기가 탁해서 언제나 지하실의 통풍구를 열어놓지 않으면 안 되었다. 두 명의 아이들은 비닐을 덮은 방바닥 위에서 장난감을 가지고 즐겁게 놀고 있었다.

하나의 세계를 뒷전에 거느린 인간

나는 옛날 김승옥에게서 이런 느낌을 받은 일이 있었다. 아주 화려하고 풍성하고 다이내믹한 느낌 말이다. 그 느낌은 그가 번동에 손수 설계해서 지었던 그 멋진 양옥의 주인장으로 행세할 때는 그대로 집의 체모와 맞아떨어지는 것이었다. 그런데 지금 상가의 지하실 한 모퉁이 소파에 앉아서 조용히 담배를 피우고 있는 김승옥의 프로필은 어쩐지 어둡고 음습하고 완만한 인상을 던져준다. 그리고 바로 이것이 그의 진짜 얼굴이었다는 생각마저 들게 한다. 화려하다고 생각했던 옛 기억이 무색할 지경이다.

유감이지만 나는 지하실의 주인 쪽이 더 좋았다. 그는 하나의 성주 같았다. 지하실의 소파에 우두커니 앉아 있는 그를 보고 있노라면 그가 하나의 세계를 뒷전에 거느리고 있는 인간이라는 것을 그제야 알 것 같았다.

저녁때가 되면 나는 이따금 그 지하실을 방문하곤 했다. 그는 아주 그 생활에 잘 적응하는 것 같았다. 아니, 그 적응력이 놀랍다고 표현하는 게 옳을 것이다. 내가 계단을 내려가면 그는 대개의 경우 일을 하고 있었다. 그냥 우두커니 앉아서 담배만 피우는 경우란 별로 많지 않았다. 그가 게으르다고 많은 사람들이 얘기하지만, 그것은 전혀 부당한 얘기다. 그는 굉장히 부지런한 사람이다. 말하자면 잠시라도 무슨 일이든 붙잡고 있지 않으면 견디지 못할 정도다. 물론 그 일의 성격이 다양한 편이지만, 글 쪽에 그가 게으르다고 알려진 것은 오직 그가 문학에 쏟고 있는 절대적 신앙 탓일 뿐이다. 함부로 쓰지 않겠다는 철저함 때문이다.

아무튼 그는 방바닥에 배를 깔고 엎드려서 뭔가를 끼적이고 있거나 아니면 창고 한쪽 구석에 있는 수돗가에서 설거지를 하거나 요리 준비를 하고 있었다. 그는 요리하기를 좋아하고 솜씨도 비교적 양호한 편이다. 그가 끓여주는 커피 맛은 일품이며 된장국 맛도 그런대로 먹을 만하다.

그는 이웃 채소 가게의 단골손님이 되어 있었다. 가게로 가서 그는 여느 여염집의 아낙네처럼 배추도 사고 호박도 사고 파와 마늘과 감자도 산다. 감자를 봉지에 한 아름 사다가 놓고 숟가락으로 껍질을 벗겨서 된장국 끓이기를 그는 아주 즐겨 한다. 지하실에서 석유풍로에 불을 붙이고 감잣국을 끓이는 과정을 가만히 보고 있노라면 그가 왜 요리사가 되지 않았는가 하는 의문이 떠오를 정도다. 석유 가스가 지하실에 자욱해서 눈물이 흐르지만, 그의 표정은 언제나 유쾌해 보였다. 나는 이따금 지하실로 찾아가서 염치없이 그가 끓여놓은 감잣국에 밥을 얻어먹곤 했다.

저녁 식사를 끝내면 그는 어김없이 아이들을 데리고 산보를 나간다. 특별히 산보하기에 마땅한 코스가 있는 건 아니지만 그 과정은 꼭 필요했기 때문이다. 그가 아이들과 산보하고 있는 길목에서도 나는 흔히 그와 마주치곤 했다. 그런 때면 우리는 길가의 풀숲에 앉아서 아주 재미있고 희망에 부푼 얘기를 나눴다. 그것은 다름 아니라 아주 화려한 왕국에 관한 얘기였다. 알다시피 그 아파트 주변에는 시가 수억대를 초과하는 호화판 주택들이 즐비해 있다. 우리는 그 주택들 하나하나의 건축 양식이나 조형미를 평가하고 비판하고 그리고 우리가 앞으로 지어야 할 집의 모형에 대해 심각하게 논의했다. 그런 논의는 반드시 필요하고 어떤 인간이나 미래를 위해서 자기의 주택관을 미리 마련해두지 않으면 안 된다는 생각이었다. 그 미래가 그 인간에게 다가오든 말든 그것은 별개의 문제다.

아무튼 주택에 관한 일가견을 피력하고 있노라면 온몸의 피로가 가시고 세상일이 한층 밝아보이곤 했다. 김승옥은 분명 언젠가 저 비슷한, 멋진 집을 지어 놓고 우리를 초대할 것이다. 그는 아름답고 멋있다는 것이 무엇인지 알고 있기 때문이다. 그것을 알고 있다는 것이 돈이 많다는 것보다 그런 집을 지을 가능성이 더 크다고 나는 생각하고 있다.

한바탕 희망에 관한 얘기가 끝나면 그는 아이들 손을 잡고 다시 지하로 내려간다. 이런 때 지상에 남아 있는 인간이 나하나만이 아님에도 불구하고.

아이들에 대한 남다른 사랑

그는 아이들에 관해서는 그의 아내보다 더 철저한 정성을 쏟는다. 이렇게 말하는 것은 그의 아내의 정성이 모자라서가 아니라 김승옥의 정성이 보통을 넘어서기 때문이다. 아이 사랑이야말로 김승옥의 으뜸가는 특성 중의 하나일 것이다. 그는 자기 아이들뿐만 아니라 남의 아이까지 같은 비중으로 사랑한다.

우리들이 아이를 보고 사랑을 느끼기는 쉽지만, 그것을 어떤 형식으로든 실천하기는 어렵다. 그는 아이 사랑을 언제나 행동으로 보여준다. 소파 선생이 그를 만났다면 아마 비로소 재기를 만났다고 즐거워했을지도 모른다. 이런 말을 하고 있는 나 자신은 김승옥의 그런 장면을 목격할 때마다 스스로 어떤 부끄러움을 느끼고 그를 새롭게 바라보게 된다. 그는 아마 아이들에게 단순히 본능적인 애정을 쏟는 게 아니고, 아이들의 순수한 세계와 그 눈초리를 그만큼 좋아하기 때문에 아이들을 잘 보아주는 것 같다.

지하실 생활이 한 달을 넘겼을 때였다. 그는 이따금 머리가 무겁고 목이 탁하다고 말했다. 모두가 지하실의 탁한 공기 때문일 것이다. 그런 말을 하면서 그는 전보다 더욱 빈번히 밖으로 아이들을 데리고 나왔다. 그리고 되도록 밖에서 오랫동안 머물렀다. 이미 겨울이 와 있었기 때문에 밖에서 오래 머문다는 일도 그다지 용이한 일은 아니었다. 만약 탁한 공기만 아니었다면, 만약 냉기만 아니었다면 지하실 생활은 더욱 오래 지속될 수 있었을지 모른다. 그는 비교적 잘 거기에 적응하고 있었기 때문이다.

그러나 그와 아이들이 그곳을 뛰쳐나와야 한다는 것은 자명했다. 한 달 보름 만에 지하실 생활은 끝났다. 마침 비게 된 아파트가 나타났고 김승옥은 그곳으로 가족과 짐을 옮길 수 있었다.

그가 새로 입주한 아파트는 아담하고 깨끗한 곳이었다. 창고에 함부로 버려졌던 세간들이 제자리를 찾아 깨끗하게 정돈되었다. 지하실에 놓여 있던 소파도 물론 다시 제자리를 찾아왔다.

우리는 다시 거기 앉아서 맥주를 마시고 담배를 피웠다. 그때 말없이 담배를 피우고 있는 김승옥의 프로필은 화려하지도 음습하지도 않았다. 그는 그저 담담했다. 지상의 방이란 것이 확실히 좋다는 것을 그는 실감하고 있었을 것이다. 햇빛, 공기, 창으로 보이는 풍경, 그 밖에도 이 지상의 혜택은 수없이 많다.

그럼에도 불구하고 나의 눈에는 그가 지하실에서 보낸 시간의 기억이 한층 뚜렷하고 그립기까지 하다.

석유풍로에 감잣국을 끓여서 아이들과 저녁 식사를 끝내

고 맑은 공기를 찾아 밖으로 나와서 저녁 산책을 하고 있는 그와 아이들의 모습이 마치 좋은 영화의 한 장면처럼 여전히 기억에 새롭다. 작가에게는 불행하거나 행복하거나 그것을 투정하고 환호할 권리가 없는 듯이 보인다. 그저 받아들이는 것이다. 그 장면이 바로 그저 받아들이는 그런 장면처럼 생각된다.

김연수를 말한다

소통의 가치와
글쓰기의 윤리

문학평론가 손정수

개인적인 동시에 사회적인 소통

김연수의 최근 소설에 나타난 변화를 설명해주는 키워드를 하나만 꼽으라고 한다면 '소통'이라는 단어를 먼저 떠올릴 수 있을 것 같다. 우선 소설 속의 등장인물들이 소통을 실험하기 위한 구도 위에 있다. 기본적으로 〈네가 누구건, 얼마나 외롭건〉(《문학사상》, 2005. 6)이나 〈기억할 만한 지나침〉(《문학과사회》, 2005. 여름) 이후의 김연수 소설에서 남녀 관계는 소통의 두 극을 표상하는 의식적인 설정이라고 볼 수 있다. 〈산책하는 이들의 다섯 가지 즐거움〉(《자음과모음》, 2008. 가을)에서 외상후증후군으로 인해 협심증에 시달리고 있는 젊은 남성 영화감독과 51세에 폐암 선고를 받았던 여성 Y씨, 〈세계의 끝 여자친구〉(《현대문학》, 2008. 6)에서 실연의 상처로부터 헤어나지 못하고 있는 25세 청년과 유방암 수술을 앞두고 있는 희선 씨의 관계에서 소통의 시도는 성별과 더불어 연령의 차이까지를 그 사이에 두고 있다. 한편 〈모두에게 복된 새해〉 《현대문학》, 2007. 1)에서처럼 인도 편자브 출신의 시크교도 사트비르 싱과 어린 아이를 잃고 소통의 어려움을 겪고 있는 젊은 한국인 부부 사이에서, 그리고 〈케이케이의 이름을 불러봤어〉(《세계의문학》, 2008. 봄)에서 52세의 미국인 여성 작가와 젊은 한국 유학생(케이케이) 혹은 선천성 심장병으로 인해 죽은 아이 때문에 고통받고 있는 한국인 여성 해피(혜미) 사이에서의 소통은 (서로 다른 언어를 포함한) 네이션의 경계를 통과해야만 한다. 동시통역사라는 해피의 직업, 그리고 〈달로 간 코미디언〉(《작가세계》, 2007. 여름)에 등장하는 점자도서관 역시 이러한 맥락에서 이해될 수 있는 소설적 포석일 것이다.

등장인물들 사이의 관계뿐만 아니라 그 관계의 성격 역시 소통이라는 주제를 구현하고 있다. 김연수의 최근 소설에 등장하는 인물들은 공통적으로 격렬한 신체적·정신적 '고통'을 경험한 이력을 가지고 있다. 그 고통은 그들을 세계로부터 고립시켜 소통의 사각지대에 가둔다. "고통이란 자기를 둘러싼 이해의 껍질이 깨지는 일"(〈산책하는 이들의 다섯 가지 즐거움〉)의 다른 표현이기 때문이다. 하지만 역설적으로 그들을 다시 소통의 장으로 이끌어낼 수 있는 계기 역시 그들과 같은 처지에 있는 타인들의 고통이다. 이처럼 고통은 처음에는 소통의 장애물이었지만 나중에는 그것을 공유하고 있는 타인들과 소통할 수 있는 유력한 창구가 된다. 그런 의미에서, 되돌아보면 누구에게나 있는 그 상처와 고통들은 더 이상 회피해야 할 부끄러움이 아니라 그 자신의 존재를 증명해주는 정체성의 표지와도 같은 것이다. 〈산책하는 이들의 다섯 가지 즐거움〉에서 수시로 '그'의 심장에 고통을 가하는 실체를 알 수 없는 대상이 의인화된 코끼리의 친숙한 형상을 띠고 등장하는 이유 역시 그와 관련될 것이다. 그것은 '그'의 고통의 성격과 '그'가 그것을 받아들이는 방식을 말해준다.

"가만히 고개를 젖히고 그가 중얼거렸다. 조금이라도 좋으니까 잠깐만 이렇게 서 있자. 조금이라도 좋으니까 잠깐만 이렇게 서 있자고? 코끼리도 가만히 고개를 젖히고 중얼거렸다. 그는 얼굴을 젖힌 채, 고개를 끄덕였다."

그렇게 '그'가 자기 삶의 일부로 받아들인 코끼리는 그를 더 넓은 세계로 안내하는 매개가 된다. 이 소설의 앞부분에서는 '그'에 의해 이해할 수 없는 존재들처럼 여겨졌던 지네나 베짱이나 수컷 사마귀 같은 존재들이 소설의 마지막에서는 함께 거리를 산책하는 동료가 될 수 있는 것은 비록 다른 형상을 띠고 있지만 그것들은 모두 고통의 표현이자 승화의 소산이라는 사실을 그가 이해했기 때문이다. 이처럼 "모든 사람들의 내부에는 그의 코끼리 같은 것들이 하나씩 존재하고 있"다는 작가의 전언에는 작가가 추구하는 소통이 그 전제로 삼고 있는 관점이 담겨 있다. 거기에는 모든 인간에게 고통은 예외적인 현상이 아니라 필연적으로 겪을 수밖에 없는 보편적인 것이거니와, 자신의 삶에 대해 진지한 태도를 가진 누구나 그 같은 고통을 대면하고 그를 통해 성숙해진 경험을 가지고 있다는 믿음이 그 전제로 가로놓여 있다.

그 전제를 문제 삼을 때 이 소통이 개인들 사이의 사적인 관계의 문제이면서 동시에 사회적·보편적인 것이라는 사실이 보다 분명하게 드러난다. 사적 관계에서도 성별과 연령, 국적 등을 둘러싼 새로운 형태의 사회적·정치적 계기들이 끊임없이 작동하고 있기 때문이다. 그렇기 때문에 소통의 시도는 그동안 잠재되었던 그와 같은 문제들과 대면하는 과정을 앞서 요구한다. 그런 의미에서 '그'와 Y씨의 산책(소통)이 시작되는 순간 도로를 점거하고 걸어가는 수많은 산책자들을 만나게 되는 장면은 상징적인 의미를 지닌다. 그들 역시 '그'나 Y씨처럼 저마다 다른 곳에서 혼자서 걷기 시작했지만 결국은 함께 걷는 법을 익혀나가야 하는 사람들이다. 이처럼 이 소설이 마지막 장면에서 도입하고 있는, 그 당시 첨예하게 등장했던 시민들의 시위 장면은(이 정치적 감각의 도입으로 인해

이 소설에서의 그녀의 죽음이나 '그'가 겪고 있는 외상 등 불투명한 방식으로 제시되었던 항목들이 새로운 함의를 띠게 된다), 사적 관계에서의 민주성을 위한 노력이 어느 순간 공공 영역에서의 정치적·사회적 가능성으로 전화될 수 있는 토대라는 사실을 암시하고 있다.

하나인 동시에 여럿인 소통

보편적 소통의 순간을 암시하고 있는 〈산책하는 이들의 다섯 가지 즐거움〉의 마지막 장면에서 또 한 가지 인상적인 것은 '그'에게 코끼리 같은 것이 다른 사람들에게는 각기 다른 이미지들로 존재한다는 사실이다. 말하자면 여기에서 소통은 서로 다른 것들이 하나가 되는 통합이라기보다 그 각기 다른 차이들이 그 자체로 인정되고 존중되는 상호 공존에 더 가깝다.

〈모두에게 복된 새해〉에서 사트비르 싱과 아내는 '나'가 생각했던 것처럼 한국어로 대화를 했던 것이 아니라 서로 타자의 언어로 이야기하면서 서로에게 한국어와 영어를 가르쳐주는 '말하자면 친구' 사이다. 사실 소통의 느낌은 그것이 완성되는 순간보다 오히려 나의 차이가 상대방에 의해 이해되는 순간, 그러니까 소통과 교류의 가능성이 기대되는 순간 더 분명하게 실감되는 법이다. 그런 의미에서 소통은 결과라기 보다는 무한히 열려 있는 과정으로 이해할 수 있다. 그 맥락에서 본다면 〈산책하는 이들의 다섯 가지 즐거움〉에서 술에 취한 '그'가 친구의 품에 안겨 울면서 "이해한다고, 서로 완벽하게 이해한다고 생각했다니"라고 탄식하는 장면은 소통에 대한 보다 성숙한 시선으로부터 나온 반성에 해당될 것이다.

때로는 소설의 형식 역시 이와 같은 소통의 특성을 반영하고 있다. 가령 〈세계의 끝 여자친구〉에서 25세 청년인 '나'와 은퇴한 전직 국어교사 희선 씨의 소통에는 여러 개의 톱니바퀴가 그 사이에 맞물려 있다. 공립 도서관의 게시판, 거기에 걸린 시들, 암으로 세상을 떠난 젊은 시인, 그가 사랑했던 여인, 이미 가정을 가지고 있던 그 여인에게 차마 보내지 못하고 묻은 편지, 그 편지가 묻혀 있던 호숫가의 메타세콰이어 나무, 그 시인이 읽었던 《메타세콰이어, 살아 있는 화석》 등등. 김연수는 소통에 대해 이야기하되, 그 결과를 낭만화하는 것이 아니라 그 과정에서 일어나는 일들을, 그것들이 서로 맞물리면서 만들어내는 사건들의 모자이크를 우리에게 보여준다. 조각난 퍼즐을 맞춰가듯 얼핏 보기에는 전혀 관련이 없어 보이는 서사의 부분들을 하나의 그림으로 완성시켜 나가는 방식은 그 자체가 참신한 서사를 위한 장치이기도 하지만 동시에 그것은 작가가 염두에 두고 있는 소통의 성격을 말해 주는 것이기도 하다. 그 서사의 조각들이 어느 하나라도 없을 때 전체 이야기는 완성되지 않기 때문에 그 각각은 다른 것에 의해 대체되거나 다른 것으로 환원되지 않는 고유한 가치를 지니고 있다. 말하자면 서로 다른 차원들이 관념적인 방식에 의해 하나로 지양되는 것이 아니라 서로 관련을 맺으면서도 그 각자의 방식을 계속 유지하고 있는 것이다.

김연수 소설의 비선형적이고 수평적인 구성 방식은 소통에 대한 그의 관점을 형식의 차원에서도 실현하고 있지만 그 때문에 서사가 조금 복잡해지는 경향이 있는 것도 사실이다. 하지만 그것 역시 소통의 어려움을 손쉬운 방식으로 피해가는 것이 아니라 그 어려움을 직면하고 감당할 때 비로소 그 해결의 가능성을 발견할 수 있다는 그의 작가적 신념으로부터 나온 태도라고 볼 수 있다.

이처럼 김연수의 소설이 독자들과 소통하는 원칙 역시 그와 같은 서사 구성의 방식에 조응한다. 그것 역시 실제로 존재하는 비대칭성을 관념적으로 소거하는 것과는 거리가 멀다. 사실 소통은 말처럼 그리 쉬운 일이 아니다. 당위적인 차원에서의 소통이야 누구나 수긍할 수 있을지 몰라도 구체적인 관계에서는 어느 누구도 인정 투쟁으로부터 쉽게 자유로워지기 어렵기 때문이다. 이와 같은 사실에 대한 고려가 충분히 이루어지지 않을 경우 소통은 언제든지 추상적인 구호가 되거나 대중의 취향을 추수하는 것으로 전락하고 만다. 당연히 독자들과의 소통이 단순히 소설의 난이도를 조정해서 독자들의 눈높이에 맞추는 작업이라고 생각할 수는 없다. 그것은 소통이라기보다 절충이나 타협이라고 불러야 맞을 것이다. 소통은 그보다 훨씬 더 절실한 동기를 내포한다. 진정한 의미에서의 소통은 타자도 자아도 소거시키지 않는 것이다. 그것은 작가의 의지나 신념, 혹은 독자의 기대나 욕구 가운데 한쪽을 일방적으로 절대화하는 것과는 거리가 멀다. 그 양자가 소통할 수 있는 근거는 그 둘이 동일하다는 데 있는 것이 아니라, 다름에도 불구하고 양립할 수 있다는 데 있다.

"누구든 타인의 고통에 대해 직접 말하지 못한다. 소설가는 타인의 고통이 드러내는 그 형식만을 보여줄 수 있을 뿐이다. 이게 바로 문학이다. 문학을 통해 우리가 삶을 이해한다고 말할 때, 이는 우리가 감정의 형식을 통해 다른 사람과 연결된다는 뜻이기도 하다."(〈슬픔을 나누는 지혜〉,《신동아》, 2007. 9)

위의 인용은 소설가가 자신의 문제의식과 그 추구의 방향에 철저할 때 오히려 공감과 소통의 기대가 신장되는 원리를 설명해준다. 김연수에게 문학적 소통은 그처럼 비대칭적인 것들이 호환 가능한 형태로 전환되는 연금술적인 변용의 가능성을 믿고 실천하는 일이다. 〈케이케이의 이름을 불러봤어〉에서 영어로 옮겨지지 않은 'nak'라는 단어를 나이 든 미국인 여성이 "그건 케이케이의 젖은 몸 같은 것이겠지"라고 이해하는 장면, 또 반대로 '하이퍼바이터미노우시스에이'라는 생경한 외래 용어를 해피가 "아마 두고두고 미안한 마음 같은 것이겠죠"라고 해석하는 장면에서 그 인물들은 김연수식 소통의 가능성을 실천하고 예증하고 있다.

역사의 무의미에서 소설적 의미를 발견하던 그의 소설적 시선이 이제 눈에 보이는 것들의 무의미 이면에서 보이지 않는 것의 의미를 바라보고 있다. 그렇기 때문에 그가 비스와바 심보르스카의 시를 두고 "없어진 것들에 대해서 말하는 대신 없어진 것들 때문에 존재하는 사물에 대해서 말하기"(《우리는 늘 우리 바깥에 존재한다》, 《문학과사회》, 2007. 가을)라고 평할 때, 그것은 동시에 그 자신의 소설적 방법의 일부를 드러내고 있는 것이기도 하다.

전통적인 장르 관념에서 보면 사실 이런 발상은 산문적이라기보다는 시적인 것이라고도 할 수 있겠다. 하지만 중요한 것은 그러한 분류 자체에 있는 것이 아니라 두 차원의 소통을 통해 그의 소설 역시 훨씬 더 소통에 민감한 것으로 진화되었다는 사실에 있다. 가령 〈산책하는 이들의 다섯 가지 즐거움〉에 나오는 다음과 같은 문장, "오랜만에 마신 술로 완전히 취해버린 그는 콧물 눈물을 다 쏟아내며 울었다. 기러기들이 외치듯이"에서 직유는 서로 다른 두 문맥의 궤도를 하나로 이으면서 감정이라는 이름의 열차를 급발진시킨다. 코끼리라는 환상이 소설의 사실성을 위협하지 않으면서 감각적 소통의 가능성을 실험하고 있는 것 역시 같은 원리에 기초해 있다고 볼 수 있다.

이처럼 각각의 차원에서 진행된 김연수 소설에서의 새로운 변화들이 결합될 때 서사 전반의 질감이 달라지는 현상이 발생한다. 그리고 그것은 근본적으로는 소통이라는 새로운 문제 설정이 초래한 소설적 효과라고 볼 수 있을 것이다. 이렇게 더 세련되게 다듬어진, 그리고 더 친숙해진 이야기의 외양과 더불어 그의 소설은 새로운 감각의 독자들과 마주하고 있다.

현실적인 동시에 문학적인 소통

이와 같은 소설적 모티프와 글쓰기 스타일의 변화 이면에는 보다 근본적인 차원의 인식의 전환이 가로놓여 있었던 듯하다. 그것은 넓게 보자면 소설에 대한 작가의 태도 변화까지 포함하고 있는 것으로 보인다. 그런 점에서 〈달로 간 코미디언〉에서 소설가인 주인공이 점자도서관 관장과 나누는 다음과 같은 대화는 다만 소설 속의 상황에만 그치지 않는 일종의 암시를 담고 있는 것으로도 읽힌다.

"그렇다면 우리처럼 앞이 보이지 않는 사람들에게는 당신의 소설은 존재하지 않는 것이나 마찬가지입니다. 책 한 권을 오디오로 만들거나 점역하는 일은 비용이 많이 들기 때문에 주로 장애인들의 자립을 도와주는 책이나 베스트셀러만 우리는 접할 수 있으니까요. 우리는 장애인이니까 그렇다고 할 수 있겠지만, 아마도 많은 비장애인들에게도 그건 마찬가지일 것입니다. 그들은 선생의 소설이 이 세상 어딘가에 있으리라고 생각해본 일조차 없을지도 모릅니다."

'굳이 말하자면 안 팔리는 쪽'에 속하는 소설가인 '나'에게 관장의 이 같은 발언은 자신이 소설을 쓰는 이유를 되묻게 만들지 않았을까. 그렇다고 이 장면을 소설의 대중성에 대한 강조로만 받아들인다면 그건 피상적인 독해일 것이다. 이 장면은 주인공인 소설가가 지금까지 해온 과정을 부정하는 것이 아니라 그 과정의 연속선상에서 예기되었던 방향이 어떤 계기에 의해 새로운 방향으로 굴절되는 순간을, 그리하여 소통이라는 새로운 가치에 눈을 뜨는 순간을 포착하고 있는 바,

이 자각은 소설 속의 인물의 그것이면서도 동시에 소설 밖의 작가의 그것이기도 하다. 그런 의미에서 소통은 소설 속의 주제인 동시에 그 소설을 쓰고 있는 작가의 문제의식이기도 하다. 김연수 소설이 내장하는 특유의 문제성은 이처럼 소설의 안과 밖이, 허구와 실재가, 이야기와 삶이 서로 넘나들면서 그 경계를 지우는 장면에서 유독 뚜렷하다.

"마흔세 살이란 이런 나이야. 반환점을 돌아서 얼마간 그동안 그랬듯이 열심히 뛰어가다가 문득 깨닫는 거야. 이 길이 언젠가 한번 와본 길이라는 걸. 지금까지 온 만큼 다시 달려가야 이 모든 게 끝나리라는 걸."(〈세계의 끝 여자친구〉)

소통에 대한 그의 문제의식은 자신이 통과하고 있는 삶의 지점을 성찰하면서 그것에 바탕을 둔 새로운 좌표를 설정하는 작업과 연관되어 있다는 것을 위의 인용으로부터 확인할 수 있다. 그것은 벌써 십 년을 넘게 지속적으로 소설을 써온 그의 작가로서의 삶이 한고비를 넘는 과정에서 직면하게 되는 필연적인 단계라고도 할 수 있을 듯하다.

이러한 인식의 변화는 작가 한 사람의 개인적인 차원에만 국한되는 것은 아닐 것이다. 거기에는 소설의 사회적 위상을 둘러싼 현실적 상황의 변화가 병행되어 있다고 볼 수 있다. 사람들 사이의 관계의 문제는 소설의 지속적이고 보편적인 테마인 것이 사실이지만 김연수 소설에서의 소통이라는 주제가 특히 현실성을 갖는 이유는 그것이 소설의 사회적 기능과 그것을 둘러싼 현실적 상황에 대한 인식을 동반하고 있다고 생각되기 때문이다. 말하자면 김연수에게 소통은 소설이 더 이상 공동체가 통과하고 있는 현실의 실상을 알리는 공적인 미디어로서의 기능을 수행할 필요성이 희미해진 상황 속에서, 그리고 미적인 저항을 통해 현실과의 비판적 거리를 필사적으로 확보해야 할 예술적 사명이 약화된 상황 속에서 가능한 소설의 새로운 사회적 기능과 위상에 대한 물음과 결부된 주제인 것이다.

점자도서관 관장의 발언은 바로 이와 같은 문제의식을 바탕에 두고 있다고 해석해볼 수 있다. 데리다가 사상을 두고 조금 큰 우체국 같은 것이라고 불렀던 것 역시 따지고 보면 같은 생각에서 나왔다고 할 수 있을 것이다. 이런 발상에서는 소설 역시 서로 다른 지점에서 살아가고 있는 사람들의 삶을 연결해줄 때 그 존재의 의미가 배가된다. 그런 원리에 따라 한 편의 소설을 통해 수잔 손탁의 사유가, 심보르스카의 시가, 레이먼드 카버의 소설이 작가의 삶의 경험과 융합되어 독자들에게 배달되는 일이 일어나게 된다. 그리고 그것들은 다시 그들의 삶 속에서, 그들이 공유하는 다른 매체들을 통해 다시 다른 장 속으로 연결될 것이다. 이 같은 소통의 순환을 원활히 하기 위해 소설이 기꺼이 그것이 가진 기능을 사용하지 않을 이유가 있을까. 소설의 사회적 기능이라는 것을 현재의 시점에서 새롭게 문제 삼을 수 있다면 그것은 공동체의 특정 영역에서 소설이 수행하고 있는 바로 그와 같은 소통의 기능에 있는 것이 아닐까. 김연수의 소설에서 소통이라는 주제는 소설에 대한 보다 유연하고 탄력적인 태도를 이끌어내는, 이처럼 실용주의적인 방향으로 열려 있는 생각들을 환기시킨다.

소통인 동시에 윤리인 글쓰기

소통의 가치에 새삼 주목하면서 김연수의 소설은 새로운 변화를 통과하고 있는 것처럼 보인다. 그 변화는 그가 한 산문 속에서 적은 다음과 같은 대목, "나는 이제 나의 관심사에서 조금씩 벗어날 때가 됐다고 생각했다. 그 관심사라는 건 1991년 5월에 나를 혼란에 빠뜨린 일련의 일들과 그 일들의 의미에 대한 나름대로의 해석이다. 그런데 그렇게 생각하고 얼마 지나지 않아 나는 그 관심사 자체가 나로 하여금 지금까지 글을 쓰게 만들었다는 사실을 깨달았다"(〈내 몸의 이토록 협소한 정치적 감각〉,《실천문학》, 2007. 겨울)는 증언에서도 확인되는 것과 같이, 우선 표면적으로는 젊은 시절 그가 겪은 한 정치적 사건의 의미에 대한 물음으로부터 비롯된 세계로부터 벗어나려는 시도로 드러난다.

김연수는 현실로부터 상상이나 공상으로 휘발하는, 혹은 무의식으로 침잠하는 최근 한국 소설의 새로운 흐름 속에서도 역사와 시대, 현실과 윤리 등의 형이상학적 범주에 지속적으로 문제를 제기하면서 그 근대소설적인 문제틀을 갱신해온 세대에 속한다. 두 세계 사이에서 잊혀진 죽음에 대한 애도는 그로 하여금 소설을 쓰게 만들었던 근본적인 동인이었고 그는 그 출발점을 중심으로 자신의 반경을 지속적으로 넓혀왔다. 그리고 바야흐로 그는 지금 자신이 머물고 있던 세계를 둘러싸고 있는 더 큰 동심원으로 건너뛰려고 하고 있는 것이다.

물론 이 단절은 미래의 방향으로 열려 있는 현재의 의식으로부터 바라볼 때 드러나는 것이고, 실제로는 이 새로운 소설적 국면 역시 그가 그동안 시도해왔던 일련의 소설적 과정의 연속선상에서 도출된 것일 터다. 무엇보다 그가 그동안의 탐구의 과정에서 얻은 소설적 방법들이 세련되게 다듬어져서 새로운 소설적 대상에 유려하게 적용되고 있다는 사실이 그것을 잘 보여준다. 그럼에도 그 주제의 방향에서는 새로운 전환의 징후들이 나타나고 있는 것도 사실이다. 그것들은 아직 일관된 형식으로 드러나지는 않지만 그럼에도 기성의 소설적 발상이나 관념에 대한 과감하고 도전적인 문제의식을 드러내고 있다. 새로운 글쓰기 영토를 향한 그의 접근은 한동안 이런 진동을 겪으면서 점차적으로 진전되어 나가리라 짐작된다.

지금까지 살펴온 것처럼 그 새로운 도약의 화두로 제시되고 있는 것이 바로 소통이다. 소통이라는 주제와 형식은 이전과는 달라진 현실적 상황 속에서 여전히 계속해서 한 편의 소설을 써야 하는 이유에 대해 작가가 지속적으로 물으면서 그 나름의 답변을 찾아가는 과정 속에서 제시된 것이라고 볼 수 있다. 한편으로 그는 그 과정에서 그가 접촉하고 경험하는 새로운 사건들을 소설 속에 수용해나가고 있다.

현재의 시점에서 그는 저마다의 사연을 가진 타인들의 삶을 이해하고 그들과 소통하는 소박한 자리로부터 소설의 새로운 가능성이 비롯된다고 믿고 있는 것 같다. 그가 "우리는 타인의 삶을 이해하기 위해 최선을 다해야 한다. 그게 우리의 윤리다. 내가 끝내 소설을 탈고하는 이유는 바로 그 윤리 때문이다. 나는 영원히 타인의 삶을 알아내지 못한다는 점에서 소설가로서 끝내 실패할지 모르지만, 다시 바로 그 이유 때문에 나는 죽을 때까지 소설가로 남을 수 있을 것이다"(〈타인의 삶〉,《작가세계》, 2007. 여름)라고 말할 때 그는 작가의 윤리가 글쓰기 외부의 다른 동기보다도 우선 그와 같은 소통을 최선을 다해 추구하는 데 있다고 보는 듯하다. 이러한 윤리는 현실에 대한 관념적 거부가 아니라 그에 대한 구체적인 인식과 실천에 대한 자각에 상응하는 것이라고 볼 수 있을 것 같다.

그것은 창공에서 찬란히 빛나는 별이 아니라 누군가의 삶을 비추는 지상의 가로등 같은 것이 되고 싶은 마음이 아닐까. 아니면 다른 나무보다 높이 자라야 한다는 강박에서 벗어나 다만 누군가 지나가다 쉴 수 있는 그루터기 같은 것이 되어도 좋다고 느끼는 마음이라고 할 수도 있을 것이다. 그런 마음에 젖게 되는 것이야말로 김연수 소설을 읽는 이들의 가장 큰 즐거움일 것이다.

김영하를 말한다

마음을
설명한다는 것

소설가 **염승숙**

놀랄 일은 아닙니다

집 밖으로 나서니 눈이 내리고 있더군요. 놀랄 일은 아닙니다. 일월이고, 겨울이며, 오늘은 아침 기온이 영하 9도에 이를 것이라는 일기예보를, 어제저녁의 뉴스를 통해 이미 알고 있었으니까요. 하지만 기상 캐스터가 눈이 온다는 소식까지 알려주지는 않았으므로 현관문이 열린 뒤 아, 하고 잠시 걸음을 멈춘 것만은 사실입니다. 글쎄요, 딴 데 정신을 팔다 어쩌면 곳에 따라 눈이 오겠습니다, 라는 말을 제가 깜빡 듣지 못했는지도 모를 일입니다. 어쨌거나 일월 중순이고, 한겨울에, 눈이 오는 게 다시 말하지만 딱히 놀랄 일은 아닙니다.

저는 다만 아, 하고 제자리에 멈춰 섰을 뿐입니다. 그리고 다시 걸었습니다. 몇 발짝을 더 떼니 눈발이 한층 거세졌습니다. 바람도 강하게 불어서 저는 옷깃을 여미고 목도리를 입까지 끌어올리며 종종걸음을 쳤죠. 어디로든 가야 한다, 라는 생각만으로 집을 나선 것은 맞지만 하필이면 왜 이렇게 눈이, 하고 생각한 순간 저는 이 겨울이, 오늘이, 눈이, 이상하다고 다시금 생각할 수밖에 없었습니다. 분명 눈이 내리고 바람은 찬데, 한여름의 여우비처럼 햇볕이 쨍쨍하도록 내리쬐고 있었으니 말입니다.

집에서 가까운 어느 곳이든 가자, 사실은 그런 마음뿐이었습니다. 집에서 텅 빈 모니터만 바라보며 뒹굴어봤자 머릿속이 하얗기만 하니, 밖으로 좀 나가야 써질 것만 같았죠. 정확히 말하자면 부디 써지기를, 하는 탄식과 기원의 마음이었다고 할까요. 부끄럽지만 이 원고, 말입니다. 말하자면 이 원고가 써지지 않아서, 이 원고를 쓰기 위해, 하늘은 새파랗고 햇볕마저 쨍쨍한 오후에 눈보라가 휘몰아치는 거리를, 종종대며 걸었다는 얘기입니다. 아무리 봐도 참 이상하기만 했어요. 발갛게 언 콧등 위로 뜨거운 볕과 차가운 눈송이가 동시에 내려앉는 느낌이, 놀랍지는 않고, 다만 이상했습니다.

이상하다, 라고 중얼거리며 저는 애초에 가고자 했던 곳을 지나쳐 무작정 좀 더 걸었습니다. 이상한 오늘의 이 거리를, 볕이 강한 오후의 눈보라를, 이상하다 여기며 오래오래 걷다가, 이상하다는 건 정말이지 이상한 것이군, 생각했던 것입니다. 그리고 아, 하고 저는 또다시 잠깐 제자리에 멈춰 섰습니다. 이런 이상한 일도 벌어지는데, 내가 이 원고를 쓰는 일이 이상하다고 해서 그다지 이상할 건 없겠지, 하는 이상한 생각이 들었거든요. (아귀는 좀 안 맞지만 그러고 보니 이것은 이상문학상이네요.) 그래서 허둥지둥 찻집에 들어와 자리 값으로 잘 먹지도 못하는 커피 한 잔을 주문해놓고, 노트북을 켠 뒤 이렇게 검은 활자가 증식해나가는 광경을 바라보고 있습니다. (사실 제 맞은편에 앉은 바퀴벌레 한 쌍이 오밀조밀한 애정 행각을 보이고, 뒷자리에서 양복 입은 샐러리맨이 큰 소리로 통화하고 있는 터라 자리를 옮길지 말지 고민하고 있습니다.)

김영하와, 김영하의 소설에 대해 이야기하는 작가론을 청탁받는 전화 통화에서 저는 화들짝 놀랐습니다. 제가요, 하고 의아히 되물을 수밖에 없었죠. 동문이랄지, 동년배랄지, 하다 못해 어떤 가느다란 친분의 끈도 없는 제가요, 라는 의미가 포함된 반문이었습니다.

글쎄요, 라고 머뭇거리다가 죄송합니다, 라는 말을 하려는 순간 수화기 너머로 그런 이야기가 들려왔습니다. 김영하 선생님을 좋아하신다고 하셨잖아요, 제가 분명히 봤습니다. 저는 아, 아, 소리만 내뱉다 별다른 대꾸를 하지 못하고, 전화를 끊었습니다. 딱히 반박할 수 있는 성질의 것이 못 되었습니다. 아, 하고 잠시 숨을 멈추었을 뿐이죠. 김영하 선생님을 좋아한다, 김영하 선생님의 소설을 좋아한다, 저는 분명히 어떤 인터뷰에서 그렇게 말했고, 그것을 누군가 보았고, 그 사실을 부정할 수가 없었던 것입니다. 명백히 그것은 사실이니까요.

호되고도 호된 마음

무엇 혹은 누구를 좋아한다고 말할 때, 매번 논리가 앞서는 것은 아닙니다. 감정이란 심장의 동요이기에 그것은 강 위의 돛단배처럼 찰나에 덜컹이기도, 오랜 시간에 걸쳐 천천히 유동하기도 합니다. 잔물결이 일렁였을 수도, 소금기 가득한 바람이 불어왔을 수도, 갈매기 한 마리가 날아와 앉았다고도 말할 수 있을 테지만 어떠한 것이든 조목조목 이유를 설명한다는 건 어렵습니다.

호감好感은 더욱 그렇습니다. 좋다, 옳다, 마땅하다, 아름답다고 느껴 마음이 움직이는 태도를 두고, 왜냐고 묻는 것은 순진하도록 난처한 일이죠. 그래도 설명해야만 하는 때가, 오는 것입니다. 좋다, 옳다, 마땅하다, 아름답다고, 말해야만 전달되는 마음이란 것도 있는 법입니다. 그리고 지금 이 순간 또 한 가지를 깨닫게 됩니다. 상대를 좋아하는 마음을 설명하기 위해서는 나의 이야기도 해야만 한다, 라는 것을요. 아니, 아니로군요. 상대를 좋아하게 되면서, 상대를 좋아하게 된 제 자신이 어떤 인간인지를 새삼 알게 되는 것일지도 모르겠습니다.

등단 이전에는 소설가를 꿈꾸며 소설 쓰기를 배우던 학생이었으므로, 제게 소설가 김영하는 파헤치고 들여다보아야 할 텍스트의 대상이었습니다. 그의 문장 구조와, 서사 구성 방법과, 인물의 특이성과, 그가 촘촘히 구축해놓은 하나의 소우주를 뼛조각처럼 분리한 뒤 다시 되돌아 맞춰가는 과정에서 소설 읽기의 즐거움을 느꼈죠. 그는 소설의 서두에 시 구절을 인용하길 즐기고, 말미의 섬뜩한 반전을 노리며, 소설 전반에 걸쳐 미술과 음악, 역사, 문학적 지식을 새로이 의미화해 녹여내었으므로, 읽는 이로 하여금 좀 더 세심한 주의를 필요로 했습니다. 그것은 그것대로 소설을 공부하는 학생에게는 당연히 기꺼운 일이었습니다.

그러다 보면 고백하건대 일순간 뼈의 감옥에라도 갇힌 듯 빠져나오지 못하는 때도 있었죠. 문장이나 작법이 아닌 인물과 서사 그 자체에 몰두해 몇 번이고 반복해 읽거나, 구절을 노트에 베껴 적거나 하는 것입니다. 그러나 몰두 이상으로 마음을 빼앗겼다고 생각하게 되는 때는 이따금씩 그의 작품들이 머릿속에서 인장처럼 도도록이 솟아오르는 순간입니다. 그러지 않으려고 해도 그의 소설 제목을 떠올리지 않을 수 없을 때—가령 도시에서라면 지나치달 정도로 자주 마주치게 되는 클림트의 그림을 볼 때라든가, 엘리베이터 문이 열리지 않아 오 분쯤 갇혀 있었을 때라든가, 폭우가 쏟아지는 밤에 벼락이 번쩍 내리칠 때라든가, 그가 '미츠'라고 불렀던 지우개만 한 소포장 아이스크림을 까먹을 때라든가, 하물며 멕시코나 1905년, 오빠, 퀴즈, 라는 단어를 듣기만 해도 그렇습니다. 집 앞으로 말도 없이 불쑥 찾아온 옛 연인과 마주쳤을 때처럼 그것은 낭패, 라고 느껴지기도 하지만 저로선 냉연히 떨쳐버릴 수만은 없는 일이기도 합니다. 처음 읽고 난 뒤로 기분이 울적한 날이면 늘 저도 모르게 습관처럼 "왜 멀리 떠나가도 변하는 게 없을까, 인생이란"이라던 《나는 나를 파괴할 권리가 있다》의 마지막 문장을 곱씹어보게 되니 말입니다.

그랬으므로, 등단 이후에 김영하 선생님을 처음 만나게 된 자리에서 저는 얼마나 마음이 떨리던지요. 조심스레 이름을 말씀드린 제게 돌아온 대답은 다정하고도 담백한 것이었습니다. "네, 이미 알고 있습니다. 저는 김영하입니다"라는 말이었죠.

재미있는 일화가 한 가지 있는데 말씀드려볼까요. 대학교 2학년 1학기 때니까 2002년의 봄날쯤 되었을 겁니다. 저랑 단짝이었던 친구가 김영하 선생님을 아주 좋아했습니다. 김영하의 빅 팬을 자처하면서 소설과 에세이는 물론이고, 그가 연재 중이던 잡지들도 모두 섭렵해 학과 내에서 김영하, 하면 다들 그 친구의 이름을 떠올릴 정도였죠. 저는 계절이 바뀔 즈음이면 문예지에 발표되는 대부분의 소설들을 복사해 읽은 뒤 후배들에게 나눠주곤 했는데, 김영하의 소설만은 따로 챙겨 그 친구에게 선물처럼 건네주곤 했습니다. 어떠한 상황에서든 리액션이 좋은 활달한 그 친구가 소설이 복사된 종이 뭉치를 받아들고 "우와, 김영하다!"라고 소리치는 모습을 보는 건 즐거운 일이었어요. 그러던 어느 날 저녁엔가 그 친구로부터 전화가 걸려왔습니다. 흥분된 목소리였는데, 요점만 말하면 지하철 3호선 약수역에서 김영하 선생님을 만나 사인을 받았다는 내용이었죠.

김영하 선생님의 사인이 적힌 흰 종이는 그다음 날 바로 학과 실습실 벽에 붙여졌습니다. 워낙에 엉뚱하고 유쾌 발랄한 친구였기에 과 학우들이 우르르 모여들어 친구의 무용담 아닌 무용담을 깔깔대며 들었습니다. 몇 날 몇 시에 소설가 김영하로 보이는 남자를 긴가민가하며 저도 모르게 뒤쫓았는데 말을 걸어보니 정말 김영하 선생님이 맞았다, 떨렸지만 용기를 내어 사인을 받아왔다, 나 잘했지, 하는 얘기였습니다. 사인지는 꽤 오랫동안 실습실의 복사기 위쪽 벽에 붙여져 오가는 많은 학우들이 눈을 빛내며 들여다보았던 것으로 기억합니다.

그래서일까요, 소설가 김영하를 떠올리면 가장 먼저 생각나는 것이 바로 그 풍경입니다. 회색 시멘트 벽에 작고 투명한 테이프로 붙여진 종이 한 장, 어린 학생들이 반짝이는 눈길로 바라본 이름 세 글자. 그 이름을 가진 소설가라는 것입니다. 그러니 그 이름의 무게에 대해, 질량에 대해, 중력에 대해, 때로는 소설을 펼쳐들고 곰곰 고민도 해보게 되는 것입니다. 중심을 잡지 못하고 결국엔 꾸벅 기울어지고야 마는 이 호되고도 호된 마음의 정체에 대해, 정도에 대해, 근원에 대해, 다시 또 그 이름의 무게에 대해, 질량에 대해, 중력에 대해.

손 건네듯 말 붙이는 사람

사실 말이 나왔으니 하는 말입니다만, (말과 활자는 증식의 성질이 강합니다. 멈출 수 없는 때가 있는 것입니다.) 소설 읽기의 즐거움을 맛본 사람이라면 이것 또한 꽤 중독성이 강한 일종의 운동이라는 생각을 하게 됩니다. 힘이 들지만, 전신의 근육과 혈관과 세포가 반응하고 단련되는 일입니다. 특히나 동시대의 한국 소설을 읽는다는 것은, 외국 문학을 읽을 때와는 조금 다른, 기실 어떤 영혼의 돈독한 교류랄까 하는 느낌을 받습니다. 모국의 소설이라는 것은 당연히 모국어로 쓰인 이야기이므로, 내가 사용하는 언어로 동시대의 배경과 인물, 사건이 흥미로이 펼쳐지는 또 한 세계를 맞닥뜨려 공유하는 일은 경이롭습니다. 이를테면 이것은 단순히 허무맹랑한 이야기가 아닌, 소설가와 나누는 어떤 다감하고도 농밀한 대화, 라는 착각을 하게 되는 것입니다. 같은 시간, 같은 공간적 배경을 공유하며 내가 보았음직한, 겪었음직한 인물과 사건을 소설가는 이야기하니까요. (공감은 호감의 전초이기도, 전부이기도 합니다.) 그는 흥미진진하게, 심도 있게, 결연하게, 절절히, 읽는 이에게 말을 걸고 있습니다. 동시대의 한국 소설을 읽는다는 것은 이런 느낌입니다. 책을 펼치면, 그 안에서 내게 손짓해 이런 이야기가 있는데 말이야, 하고 유연한 대화를 시작하는 사람이 있습니다. 소설가란 그런 사람인 것입니다. 손 건네듯 말 붙이는 사람.

그중에서도 김영하의 소설은 단연코, 그러합니다. 말하려니 다소 두루뭉술해질 우려가 있습니다만 그가 만들어내는 호두 속 같은 인물, 공간, 이야기들은 허구임이 분명한데도 낯설지 않고 친숙합니다. 남녀노소 어떤 인물도 억지스럽지 않으며 그가 말하는 상황 속으로 능청스레 끌어들이는 묘한 기운을 담고 있습니다. 내 이웃의 누구, 내 곁의 누구인 것만 같고, 우리 사회의 어떤 이라도 지금 이 순간에 그렇듯 엉뚱하고 서글프고 선득하고 우스꽝스런 상황에 처해 있을 것만 같습니다. 이질적이지 않습니다. 우리에게 익숙하지 않은 무엇을 '의미 있음'의 영역으로 끌어들이는 매력이 있는 것입니다.

혹 그의 소설을 볼펜의 원리에 빗대볼 수 있을지 모르겠습니다. 볼펜은 펜 끝에 끼운 조그만 강철 알이 종이 따위와 마찰하는 대로 굴러서 펜대 안의 유성 잉크를 새어나오게 만든 필기도구입니다. 움직임이 부드럽고 자연스럽습니다. 움직이면 움직이는 대로 잉크가 흘러나옵니다. 어디서나 사용되고, 어디서든 필요하죠. 그의 소설을 펼쳐 읽으면 그런 기분이 듭니다. 말이 안 되지만 또 한편 어디에든 있기도 할 법한 그럴듯한 이야기가 볼펜 안에 충만히 담긴 잉크처럼 자연스레 흘러나옵니다.

손에 쥐기 적당한 두께의 볼펜을 움직여 적어나간 듯 부드럽고도 날카로운, 어디에나 존재할 법한 그럴듯한 이야기. 아무리 황당무계한 설정을 끌어오더라도 그 상상력 또한 아 이거 꼭 그럴듯하다, 새롭다, 고 믿게 만드는 이야기. (소설가에게 있어 "이 소설 참 그럴듯한데"라는 말은 가장 기분 좋은 찬사가 아닐까요.) 그가 종이 위에 부려놓은 알싸한 잉크 냄새가 채 가시기도 전에 그러니 우리의 머릿속은 이미 그의 소설 속 공간과 인물들 사이를 종횡무진 넘나들게 되는 것입니다.

왜일까, 생각해보면 두 가지 결론에 이릅니다. 하나는 그가 데뷔 이후 끊임없이, 너무나 바지런히 소설을 발표해왔다는 점이고, 또 하나는 그가 발표해온 소설들이 끊임없이, 너무나 감각적으로 우리네 세상살이를 투영, 반추해내고 있다는 점입니다. 이 두 가지는 일견 쉽고도 당연한 듯 여겨질 수 있지만 그렇지 않습니다. 용접공이 매일 용접을 하듯, 회사원이 정해진 시간에 출퇴근을 반복하듯 무릇 소설가라면 날마다 일정 시간 소설을 쓰는 것이지, 라고 단정할 수도 있겠지만 소설 쓰기란 그렇게 되지 못하는 경우가 허다합니다. (저는 매일 아침 일어날 때마다 소설을 쓴다는 것은 너무 어렵다, 라고 생각합니다.)

그러나 그는 부지런하다 싶을 정도로 장·단편을 가리지 않고 왕성한 필력을 보여왔습니다. 그럴 때마다 저는 제 자신이 소설 쓰는 사람이 되었으면서도 여전히, 회색 시멘트 벽에 붙여진 사인지를 바라보는 심정으로 그가 내놓는 신작을 꼼꼼히 들춰보게 됩니다. 그 속에 오롯이 살아 움직이는 동시대의 사람들을, 동세대의 감각들을 마치 요지경의 그것과도 같이 마른침을 삼키며 눈이 휘둥그레져 들여다보게 되는 것입니

다. 핍 쇼peep show. 그렇습니다. 핍 쇼의 한 장면인 양 그의 소
설은 기기묘묘한 정서적 반응을 촉발시키는 지점을 제시해
줍니다.

그는 소설을 통해 자유자재로 과거를 소환하고, 현재를 조
망하며, 미래를 포착합니다. 물론 소설적 텍스트는 인간이 과
거와 현재와 미래를 가지고 있다는 사실을 전제로 하며, 소
설이란 인간을 역사적·사회적인 방법으로 의미하는 첫 예술
이라지만(미셸 제라파), 그의 소설 세계는 특히나 내밀하고 '발
견'적입니다. 어쩌면 삶은, 개인이 혼자서는 결코 도달할 수
없는 반복적이고도 불변하는 성질을 지녔을 것입니다. 온 힘
을 다해 살아가도 도무지 어찌할 수 없는 무엇에 부딪혀 피를
흘리고 마는 것일지도 모릅니다. 보다 구체화된 언어로 개인
성을 묘파하며 시간, 죽음, 역사, 인과관계의 사회학을 재생
하는 그의 소설이 매력적인 이유는 여기에 있는 것입니다.

섬세하질 못해서

그가 들려준 수많은 이야기 가운데 "진정한 재난은 인간
의 상상력 저 너머에서 진군해올 것"이라던,《빛의 제국》속
의 구절이 문득 떠오르는군요. 그 소설을 연거푸 읽던 시간에
저는 상상력 너머에 진정한 재난이 있다는 말에 대해 긴 시간

생각했던 것으로 기억합니다. 인간이 결코 상상하지 못하는 영역에 상처받은 이의 그것처럼 웅크려 있을 진정한 재난이란 어떠한 모양새일까, 재난의 코기토란 명제 그 자체만으로도 아찔하게 느껴졌죠. 그것은 결국 상상하지 않는 인간에게 재난이 닥쳐올 것이라는 전언처럼 들렸습니다. 인간의 상상력 저 너머를 노리는 그의 호기로움으로도 읽혔다면 그것은 부러움 때문이었을 겁니다. 소설가답다, 등허리가 따끔거리는 것을 느끼며 주섬주섬 그런 생각을 했으니 말입니다. 그래서 아직도 잘 잊히지가 않습니다. "정말 인간이 그렇게 대단한 것 같으냐"던 질문 말입니다. 이 또한 같은 소설에 나오는 것인데 단순하면서도 일상화된 어투의 이 의문문이, 소설의 마지막 장을 덮고도 어떤 동요의 징후로서 한동안 제 머릿속을 옮았죠. 우리 모두가 허망한 꿈을 꾸며 살아가는 문어 단지 속의 문어임을 부정하기란 불가능했으니까요.

 김영하의 소설적 외피는 다면적이고 다중적인 의미망을 겹겹이 두르고 있습니다. 개인과 사회, 국가와 이념, 역사와 탈脫역사의 이데올로기를 넘어 삶과 죽음, 필연과 우연, 젠더와 젠더 주체, 도시화와 가족제도, 시장과 자본주의, 정상과 비정상, 현실과 비현실의 경계를 부단히도 체현하고 배회하는 동시에 번민하고 은유하며 또 교란해내죠. 그의 소설 속에서 전경화되고 있는 문화 세계의 질서와 그에 따른 상징적 장치들을 읽노라면 어느 순간 차마 반박할 수 없는 추궁을 당하는 것만 같은 심정이 되곤 합니다.

그리고 가만 고개를 끄덕여도 보는 것입니다. 단단한 하나의 세계를 추동하는 소설가의 이토록 집요한 관찰의 눈이란 어쩌면 동시대의 삶과 사람과 필연을 향한 절절한 구애求愛의 고백일 수도 있겠다, 하고 말입니다. 한 편의 좋은 소설이란 '주어진 환경 속에서의 어떤 열정의 연구 상태'(알랭 로브그리예)라는 말도 있으니까요. 그러니 더 읽고 싶다, 그의 그치지 않는 구애와 지속적인 열정을 더 읽고 싶다, 끝내 그런 마음만이 절실해집니다.

"유독하고 매캐한, 조금은 중독성이 있는, 담배 같은 소설을 쓰고 싶"다던 그의 말을 떠올리며 언제든, 언제까지든, 그가 써내는 소설을 더 읽고 싶다고 생각하게 되는 것입니다.

고개를 드니 어느새 커피 한 잔은 차게 식어 있군요. 어느 곳이든 가자, 하는 마음으로 밖에 나와 이상하다, 라는 말을 몇 번이고 중얼 대며 걸어왔는데 햇볕과 눈송이가 동시에 내려앉던 시간은 온데간데없이 사라지고 창밖은 이미 어둑해진 채입니다. 눈보라도 그쳐버렸습니다. 어쩐지 서운합니다.

(뒷자리에 앉았던 양복 입은 샐러리맨은 어디론가 가버렸고, 맞은편의 바퀴벌레 한 쌍은 여전히 다정하게 서로의 어깨를 안고 있네요. 그들의 눈엔 커피를 마시지도 않고 어깨를 한껏 움츠린 채 손가락을 움직여대는 제가 오히려 이상해 보였을 수도 있겠습니다.) 이상한 날씨에 걸맞은 이상한 글을 적어놓은 것이나 아닌지 모르겠습니다. 불안합니다. 말해야만 전달되는 마음도 있다지만, 저란 사람은 좀처럼 섬세하질 못해서, 마음을 설명해 보이는 것은 역시나 어렵고 난처한 일이라는 사실만을 거듭 확인합니다. 그렇게 생각하니 아, 하고 잠시 숨이 멈춰집니다.

바다를 건너가는
나비의 날갯짓처럼

문학평론가 정홍수

미모의 다정한 술자매들

"내년에도 예쁠 텐데, 정말 걱정이야."

이런 흰소리를 아무런 표정 변화 없이 사뭇 담담하고 진지하게 꺼내놓는 사람들이 있다. 처음 한두 번은 야유 섞인 웃음으로 가볍게 넘겨버리면 그만이지만, 횟수가 쌓이면 대응이 만만치 않다. 세뇌라는 무서운 단계가 기다리고 있는 것이다. 게다가 명정酩酊의 시간과 두꺼운 화장술도 비판력을 마비시키는 데 큰 몫을 한다. 그래서 이윽고는 게게 풀린 눈을 껌벅이며 대꾸한다는 소리가, "하긴, 미모라는 게 당사자들한테는 부담이 될 수도 있겠네. 뭐 도울 일은 없나?"

편집자와 작가로 만나 알게 된 김인숙 씨와는 마침 한동네에 사는 인연도 덧붙어 자주 술자리를 가진 편이다. 역시 같은 동네에 사는 동료 소설가 은희경, 차현숙 씨가 김인숙 씨와 절친한 사이라 술자리 한쪽을 차지하는 날이 많았다. 미모의 미래진행형을 머리를 맞대고 걱정하는 이 다정한 술자매들은 다들 알다시피 시퍼런 아줌마들이다. 그러나 적어도 술자리에서만큼은 자신들의 인생 그래프를 완벽하게 망각한다. 다분히 의도적인 이 건망증은 내가 무심히 관찰해본 바에 따르면, 이제 거의 제2의 천성이 되어가고 있는 듯하다. 오늘의 주인공 김인숙 씨의 경우, 길 가다가 '아가씨' 호칭이라도 들은 날이면 그 싱싱한 소리의 여운을 되새기고 음미하는 데 시간을 아끼지 않는다고 당당하게 고백하는 사람이니, 미모 걱정을 한 해의 중요한 사업으로 내세우는 걸 진지하게 반박하는 건 술친구의 예의가 아니기도 하겠다.

중견의 겸손과 절제

하고 보면, 김인숙 씨가 대학 1학년 신분으로 신춘문예에 당선되었을 때 추운 자취방에 앉아 신문에 실린 작가의 사진을 한참 동안 뚫어져라 들여다보고 난 뒤, 선망과 질투의 마음을 다독이며 기꺼이 열성 독자가 되기로 주먹을 불끈 쥐었던 건 촘촘하게 인쇄된 당선작을 읽기도 전이 아니었던가. 그런 초심을 가졌던 사람이라면 의당 김인숙 씨의 새로운 미모 걱정에 벽돌 한 장이라도 보태는 심정으로 동참하는 게 도리이리라. 야유나 비아냥은 절대 안 될 일이다. 김인숙 씨가 홀

쩍 중국으로 건너가버려 그 뻔뻔했던 술자리들도 그럴싸한 추억이 된 지금, 더욱 그렇다.

그러나 나이를 몰각한 그런 객담들이 소설을 업으로 살아가는 막막함과 고단함을 잠시 밀쳐두기 위함임을 눈치채지 못한 것은 물론 아니었다. 김인숙 씨는 등단한 지 20년이니 중견中堅 작가로 불러도 크게 넘칠 일이 아니다. 게다가 지속적인 글쓰기로 80년대와 90년대의 시대적 이접離接을 고스란히 감당해낸 20년 세월이니 무게가 더하다. 이번의 수상 말고도 이미 여러 차례의 문학상 수상을 통해 그 문학적 성취를 두루 고평 받은 바 있다. 그러니 겸손을 전제한다 하더라도 은연중에 자신감을 내비칠 만하지 않을까.

그런데 내가 만나본 김인숙 씨는 늘 자그맣게 자신을 웅크리고 있었다. 작가로서, 겨우 버텨내고 있다는 막막한 불안감을 숨기려고 하지 않았다. 소설 쓰기가 문자 그대로 생업生業이라서 그런 게 아닌가 이해를 하면서도 조금 큰소리를 내고 어깨를 펴도 되는 게 아닌가 싶었다. 겁을 먹은 듯한 웅크림, 그러나 그 웅크림은 성실함의 다른 얼굴인 듯도 했다. 성실함, 그러니까 소설가로서의 프로 의식 같은 것 말이다. 이른 나이에 등단하고, 줄곧 소설이라는 무기 하나만으로 삶을 꾸려온 자의 세상에 대한 경계심은 무엇보다 자신에 대한 냉정

함과 가혹함으로 표현되고 있었던 것일까.

작년 일이다. 장편 초고를 놓고 그걸 다듬느라 몇 개월을 보낸 모양인데, 얼추 일이 끝날 때쯤 보니 수정 파일이 열 몇 개가 되더라는 이야기였다. 그러면서 덧붙이는 말, "이제, 다음부터는 장편을 조금 쓸 수 있을 것 같네". 그럼 그전에 써서 출간했던 그 대단한 장편들은 다 뭐란 말인가.

낯가림이 개성

한번은 쓰고 있던 소설 두어 페이지 분량을 이메일로 보내고는, 쉼표가 제대로 들어가 있는지 봐달라는 말을 붙여왔다. 내가 뭘 알겠냐고 손을 내젓고 말았지만, 늘 자기 것 챙기는 데 어수룩한 모습만 보이던 사람에게서 진짜 싸움을 벌일 때의 스파크를 본 느낌이었다. 20년간의 위대한 생산물들을 잊고 처음 글을 쓸 때처럼 백지에서 싸움을 시작하는 그 건망증이야말로 김인숙 씨의 웅크림을 아름답게 만드는 동력이 아닐까 생각해본다.

사람들에 대한 낯가림은 먹어본 음식밖에는 잘 못 먹는 까다로운(뭐, 그렇다고 고급스러운 취향은 아닌 듯하다. 포장마차에서 파는 우동을 가장 좋아하며, 술안주로는 닭꼬치와 멍게 정도밖에 모르는 모양이니까) 식성과 함께 김인숙 씨가 강조해 마지않는 자신의 개성이다. 그러다 보니 가끔 집 밖으로 나와 만나는 사람들이 소설집 《함께 걷는 길》, 장편 《'79~'80 겨울에서 봄 사이》를 쓸 무렵, 시대적 소명을 문학의 임무로 감당했던 '하나방' 시절의 문인들과 일산 동네에서 알게 된 몇몇 문우들 정도로 국한되어 있는 것 같았다. 그중 내가 목도했던 술자리로 인상적이었던 것은 김정환, 임우기, 현준만 선배 등이 밤 늦게 소집하는 대책 없는 술판이었다. 김정환 형은 대개 서울 신촌쯤의 술집에 앉아, 임우기, 현준만 형은 이미 만취 상태에서 일산에 들어와 김인숙 씨에게 전화를 하는 모양이었는데, 김인숙 씨도 워낙 좋아하는 문단 선배들인지라 불가피한 경우를 빼고는 호출을 마다하지 않는 눈치였다.

그런데 그렇게 부르기만 했을 뿐, 김인숙 씨가 합석을 해도 술자리의 분위기에 전혀 변화가 없었다. 새 사람이 술자리에 합류했으면(그것도 간절히 애원해서 불러냈으므로) 그 사람 중심으로 화제도 바뀌기 마련이건만 간단한 눈인사 정도만 나누고 말 뿐, 끊임없이 마셔대기만 하는 것이었다. 왜 바쁜 사람을 오라고 한 것일까. 그리고 바쁜 사람은 왜 왔을까. 나는 그 술꾼들이 술을 입으로 옮기는 바쁜 와중에도 간혹 술잔을 부딪치며 토해놓는 "인숙아~"라는 애잔하고 애틋한 소리에 무슨 말 못할 비밀이 있지 않나 짐작도 해보지만, 글쎄. 그 기이

한 술자리에는 안쓰러운 막내 여동생만 있었던 게 아니라, 철 없는 오라비들을 말없이 다독이는 정결하고 속 깊은 누이도 있었던 게 아닐까 생각해보는 것인데 이 역시 막연하기만 하다. 나 또한 취해 있었으니까.

"이건 내 딸이오"

강아지 이야기를 빠뜨려선 안 될 것 같다. 나야 강아지를 키워본 적이 없어서 그 깊은 교류를 잘 이해 못하지만, 김인숙 씨의 강아지 사랑은 각별한 듯하다. 본인에게서 직접 들은 에피소드 하나. 지난해 여름 중국으로 건너갈 때는 강아지를 데려갈 수 없는 것으로 알고, 눈물의 이별을 했다고 한다. 몰티즈 품종 어미 한 마리에 김인숙 씨가 직접 받아낸 새끼 두 마리까지, 모두 세 명의 식구를 이곳저곳 지인들에게 맡길 수밖에 없었던 것이다.

그런데 가서 보니 잘못된 정보였다. 사전 준비를 철저히 하고 연말에 강아지를 데리러 귀국을 감행했다(겸사겸사라고는 했지만, 그것 말고는 특별히 다른 목적이 없어 보였다). 다시 한 번 이리저리 눈물의 재상봉과 이별식(강아지를 맡아 기르고 있던 사람 입장에서 보면 또 무슨 날벼락이었겠는가. '흐느껴' 울었다고 했다)을 치른 뒤, 어미 개 '미나'를 품에 안고 중국 공항에 들어섰다.

그런데 어떻게 된 일인지 중국 공항에서는 한 달간 미나를 유치해놓아야 한다고 하지 않는가. 짧은 중국어에 온갖 표정 연기를 선보이며 붉으락푸르락 하소연을 해보았지만, 말이 안통하니 서로 남의 다리를 붙들고 씨름하는 꼴. 그러나 역시 진실은 통한다고 했던가. 김인숙 씨는 결정타 한 방을 준비하고 있었다. 때맞추어 흘러내리는 눈물의 조력을 받으며 서툰 중국어로 김인숙 씨 왈, "이것은 개가 아닙니다. 이것은 나의 딸입니다". 그러고는 무사통과. 아마도 중국 공안은 유치원에서나 들려올 법한 이상한 성조의 중국어 문장에 문득 할 말을 잊었던 것은 아닐까.

바다를 건너가는 나비의 날갯짓

김인숙 씨의 근작들을 보면 진로를 잃어버린 벼랑 끝 인물들이 자주 등장한다. 그들에게는 자기가 누구인지 확인할 수 있는 근거가 현재의 생활 속에 없다. 해가 저문 운동장을 끝없이 달린다든가, 훌쩍훌쩍 멀리뛰기를 했던 몸의 기억만이 겨우 그들의 삶을 증언하고 있을 뿐. 그리고 그런 인물들의 막막함은 작가 자신의 그것이 아닐까 싶을 정도로 절실하게 그려져 있다. 그러나 조금 새겨 읽다 보면 그들을 감싸 다시 길 위에 세우는 웅숭깊은 힘이 거기에는 있다. 쓰러진 인간의 내면과 거기서 피어나는 소설적 환각의 긴장이 단순한 심리 탐구를 넘어서서 어떤 울림을 주고 있다고 해야 할까. 그럴 때마다 나는 술자리에서 보았던 평범한 아줌마의 얼굴을 떠올려보며 거듭 눈을 비비곤 했다. 놀랍기도 하지만 무섭기도 했던 것이다. 무슨 비전秘傳이라도 있는 것일까. 아마도 이것은 단순히 재능만으로 가능한 일은 아니리라. 김인숙 씨에게 대단한 소설가적 재능이 있었다 하더라도 20년의 시간이면 이리저리 닳아 없어지기에 충분했을 테니까. 그렇다면 무엇일까. 언제 다시 술자리가 생기면 술을 자제하면서라도 탐문해볼 생각이지만, 글쎄.

아이 학교 때문에 건너갔던 중국 체류가 길어질 모양이란다. 얼마 전 잠시 귀국했을 때 들려준 이야기에 따르면, 중국어 공부를 무슨 입시생처럼 열심히 하고 있단다. 새벽 기상에 철저한 예습, 복습. 시험을 치면 일등이고, 어떤 숙제고 빠뜨리는 적이 없어 어학 과정의 같은 반 학생들로부터 '무서운 아줌마'로 불리고 있단다. 우리말로 소설을 쓰다 안 되니, 중국어로 소설을 쓸 작정이냐고 농담을 하고 말았지만, 이번 수상작을 읽고 보니 그게 다 바다이고, 바다를 건너가는 나비의 날갯짓인가 보다. 이상문학상 수상을 축하한다. 이제 좀 여유를 가지고 날아가도 되지 않을까.

이상문학상
대상 작가를
말한다

김지원을 말한다

투명하고 아름답고
유현하고 신비로운 사람

소설가 서영은

하렘에서 본 듯한 인상

군이 작가 냄새라는 것이 있다면, 김지원에겐 영혼에도 마음에도 몸가짐에도 전혀 그 냄새가 배어 있지 않다.

외모로 보면, 김지원은 이집트나 아라비아 왕궁의 하렘에서 본 듯한 인상이다. 왕에게 지목을 받아서 화장을 했는데, 썩 요염하지는 않고, 좀 요염한 듯만 하다고 할까. 얼굴을 반쯤 가린 긴 파마머리와 짙은 빛깔의 입술연지, 그것이 요염의 정체라기엔…… 그 좀이란 것이 은근히 육감적이다.

김지원의 옷에서는 옷을 만든 사람이 본래 의도한 선이 모두 흐트러져버리고, 선도 아무것도 아닌 이상한 엉성함으로 변형되어 있다. 뒤꿈치가 트인 샌들식 높은 구두에, 속치마인지 겉치마인지 모를 풍성한 흰 치마, 깃을 안으로 말아서 감추어버리고 브이넥만 덩그러니 살린 투피스 윗도리, 도무지 그렇게 입도록 만든 그 사람의 취향이 잡히지 않는 옷차림이다.

만약 세계 유명 디자이너가 만든 옷을 그녀에게 입으라고 강요한다면, 그녀는 우선 라벨부터 떼어내고, 멋스럽게 들어 올린 어깨는 주저앉히고, 반짝이는 단추나 벨트를 모두 없애 버린 뒤에나, 그것도 아주 어색해하며 간신히 입을 것 같다.

한없이 여린 무욕無慾의 마음

어린 시절, 어머니인 최정희 선생님은 큰딸을 두고, "아란아, 이 바보야, 네가 공부까지 못하면 어쩔 뻔했니" 하시면서 늘 마음을 애태우셨다고 한다. '오밤중'이라는 별명을 떨치지 못했던 최정희 선생님 눈에마저 '바보'로 보인다면, 그것은 그저 애틋한 마음뿐인 어머니의 눈에 비친 '바보'가 아닐 것이다.

창밖의 나무들이 휘청거리기만 해도 "바람 불어, 바람 불어" 하면서 울던 아이. 나이 들어서도 세상이 여전히 두렵고 감당할 수 없을 만큼 벅차기만 한 어른. 다른 사람들이 너무나 당연시하는 일조차 감당치 못해 벅차하는 어른.

모자를 쓰고 외출했던 어느 날, 바람이 모자를 휘감아 날려 보냈다. 어떤 사람이 그 모자를 주워서 가져가버리는 것을 보고도, 그녀는 오히려 자신이 어쩔 줄 몰라 했다. "그거 내 모잔데 주세요"라고 말하기가 너무 벅차서, 자기 모자를 남이 가져가버리는 것을 그저 지켜볼 수밖에 없었다.

그런가 하면《음악동아》에 음악인 인터뷰를 연재하고 있을 때였다. 원고료는 20만 원이었고 온라인으로 송금되었다. 그런데 어느 날인지 착오로 '0'이 하나 떨어져 나가 2만 원이 부쳐져 왔다. 당연히《음악동아》에 전화를 해서 착오를 고쳐 달라고 하면 될 텐데, 그녀는 또한 그 말을 하기가 미안하고 벅차서, 자신이 손해를 감수하는 쪽을 택했다. 자기 수입원의 전부인 그 고료를.

김지원은 남들이 지니지 못한 물건을 자신만이 지니게 되면, 그것도 미안하고 벅차서 감당치 못했다. 남편이 결혼 기념으로 준 반지, 그가 월남전을 취재하러 가서 사온 반지나 브로치 같은 고가의 선물들도 예외는 아니었다. 그녀는 그것들을 자신이 간직하기가 힘겨워, 어머니나 동생한테 갖다 주었다. 그런데 어머니는 그 반지를 아무렇지 않게 받아서 끼고 있다가 화투를 하면서 돈이 떨어지게 되자 그중의 한 사람에게 그만 팔아버렸다.

쓱쓱 자취도 없이 늘 어디론가 가고 있는 작가

모자도 원고료도 반지도, 자기 몫이었던 것조차 자기 몫으로 챙기지 못한 그녀의 주변엔 아무것도 없었다. 이제까지 그래왔고, 앞으로도 그럴 것이다. 세상을 딛고 서 있는 두 발, 그 두 발로 걸어 다니며 남기는 발자국만으로 '있으려' 하는 사람.

2년 전 그녀는 아주 눌러앉을 생각으로 한국에 돌아왔다. 그녀의 거처는 어머니가 사셨던 정릉 산장아파트 가동 904호. 생전에 어머니가 꾸며놓으셨던 집 그대로 보존해두고, 그녀는 떠나기 전까지 그곳에서 자기 물건 하나 없이, 글 쓰는 노트 한 권만 옆에 둔 채, 소리 없이 있다가 소리 없이 훌쩍 뉴욕으로 돌아갔다.

김채원이 말했다.

"언니가, 라디오 두 대를 켜놓고 들으니 음악이 스테레오로 들린다고 좋아해서, 그저 그런가 보다 했지. 떠난 뒤에 보니까, 그 라디오는 엄마가 듣던 고물이었어. 망가질 대로 망가져서 잡음이 심했어. 라디오 하나 변변한 것이 없이 지냈던 거야."

삼십 대 초, 그녀는 남편과 함께 아들 둘을 데리고 뉴욕으로 이민 갔다. 이제 그때의 아들 둘은 성장하여 멋진 청년이 되어 있고, 남편이었던 사람은 남남으로 갈라섰다. 화투를 광적으로 좋아했던 어머니와 그 연배의 유명한 어머니 친구들도 모두 타계했다.

뉴욕과 서울을 오락가락해온 그녀, 돌아올 때나 돌아간 뒤에나 아무런 자국이 없음에도, 주위 사람들은 느끼게 된다. 그녀가 쓱쓱 어디론가 가고 있다는 것을. 아니다, 그녀가 가고 있다기보다 자신을 비워서 점점 피리같이 되어가는 그녀를. 아들이, 남편이, 어머니가, 세상이 지나가며 '그녀'라는 피리 소리를 자아내고 있는지도 모른다.

그녀라는 피리를 통해 듣는 세상 지나가는 소리

여럿이 앉아 있을 때, 함께한 사람들이 누구이든 간에 김지원은 가장 편안한 자리에 자기 마음을 내려놓는다. 그녀가 웃는 웃음, 그녀가 하는 말은 대화 속에 끼어들기 위해서라기보다, 가만히, 편안히 앉아 있는 그녀를 통과해서 지나가는 세상의 소리들인 것이다. 그래서 그녀의 화법은 언제나, '어떤 책에서 봤는데……', 또는 '최 박사가, 승옥이가, 인호가, 그러는데……'로 시작해서 '그랬다지'로 끝을 맺는다.

칠면조가 우는 소리와 흡사한 그녀의 웃음소리는 대화의 흐름과 상관없이 좌중에 웃음의 이랑을 만들어간다. 조금도 우습지 않은 일이 그녀를 웃게 하고, 조금도 감격스러울 게 없는 사소한 일이 그녀를 너무도 감격스럽게 한다.

최근에 그녀가 발표해온 소설들, 〈사랑의 예감〉이나 〈집〉 같은 작품들도 자세히 읽어보면, 그녀라는 피리를 통해 세상이 지나가는 소리들인 것이다. 소설 속에 등장하는 인물들은 자기의 캐릭터로 존재한다기보다, 보고 들은 세상 이야기들을 자기를 통해 흘려보낸다. 그 흘려보내는 소리들이 깜짝 놀라게 투명하고 아름답고 유현하고 신비롭다.

"……그 사람 보니까 좋은 사람이더라구. 자연에 미친 사람이더라. 한번은 해변에 나가서 혼자 잤대. 그 넓은 천지에 사람이라고는 자기 혼자인데 하나도 안 무섭더래. 그런데 너무 이상한 경험을 했더라구. 바람 하나 안 부는 고요한 밤인데 잠든 몸이 공중으로 날아올라가 파도 속에 두 번씩이나 떨어졌대. 신기하잖아? 사람 몸이 이렇게 무거운 건데 말야. 그때마다 그는 도로 헤엄쳐 나와서 젖은 옷 채로 해변에서 잤는데 그렇게 기분이 좋더래. 무섭지가 않고."

그녀가 이렇게 자신을 텅 빈 피리로 만들어온 과정을 옆에서 지켜본 친구들은, "그래, 지원아. 더 많이 그리워하고 충분히 아파해라"고 말하는 것이 결코 잔인한 일이 아님을 알게 되었다.

이상문학상
대상 작가를
말한다

2004년 제28회 이상문학상 대상 수상 작가

김훈을 말한다

꽃밭에 뛰어든
맹수의 포효

문학평론가 **박철화**

18년 전 살벌했던 그날

내가 처음으로 김훈을 기억하는 것은 1986년 5월 18일이다. 일요일이었다. 햇살은 화창했고, 대학가의 아침은 고요했다. 하지만 그 고요엔 숨죽인 폭발 직전의 에너지가 가득했다. 저 5공화국 말기의 살벌했던 5·18이었기 때문이다. 그날 나는 일어나자마자 잠을 깨기 위해 신문을 사러 나갔다. 오늘 또 하루가 길겠구나! 신림동 언덕을 타고 5월의 밝은 햇살 사이로 걸어 내려가는 마음은 착잡했다. 내 이십 대의 청춘이 짙은 최루탄 가스와 요란한 발사음에 짓눌려 신음하는 풍경이 확연하게 그려졌기 때문이다.

거기에 반항하듯 나는 《한국일보》를 샀다. 당시 일요일판에는 문화부의 두 기자가 번갈아가며 〈문학기행〉이란 글을 연재하고 있었다. 그 꼭지는 당시 어렴풋이 문학적 행로를 그리고 있던 청춘들에게는 거의 오아시스나 마찬가지인 공간이었다. 5공화국의 잔인한 언론 검열은 신문을 아주 재미없는 것으로 만들어놓아서, 학생들은 어쩔 수 없이 '행간 뒤집어 읽기'를 통해 진실을 찾아 헤맬 때였다. 그런데 이 〈문학기행〉만큼은 거기서 자유로웠다. 우리는 숨 쉬듯 그 글을 읽고 또 읽었다. 그 꼭지를 써나가던 기자 가운데 한 사람이 김훈이었고, 마침 그날 신문에는 그의 글이 실려 있었다.

그날 그가 서 있던 곳은 갈대밭과 방죽이 펼쳐져 있는 순천만이었다. 바로 《무진기행》의 무대. 나는 거기서 김승옥의 손가락을 따라 망막한 개펄의 바다를 보고 있는, 지금의 내 나이쯤 되었을 김훈의 얼굴을 처음으로 보았다. 숨이 '턱' 막혔다. 86년 5·18의 그날, 〈무진기행〉이라는 그렇게 슬프고도 아름다운 청춘의 글이라니! 나는 거기서 남도 바다의 갯내음을 들이마시며 오래오래 '문학 공화국'으로의 망명을 꿈꾸었다. 내가 이렇게 김훈과의 첫 만남의 날짜를 기억하는 것은 그 때문이다. 아마도 그 이전에, 역시 같은 신문에서 그의 얼굴을 본 적이 있을 것이다. 그 꼭지의 애독자였으니. 하지만 그 기억은 지금 내게 없다.

폭력과 아름다움의 대립

지금의 나는 김승옥의 《무진기행》을 그다지 높이 평가하지 않는다. 그건 청춘의 책이다. 그래서 아름답지만, 또 그래서 유치한 것도 사실이다. 다만 지금부터 18년 전의 그 살벌했던 날에 내가 숨 쉬었던, 김훈의 〈무진기행〉만큼은 두고두고 잊지 못한다. 그것은 폭력으로 물든 정치에 대한 문학적 반항의 불꽃이다. 지금도 나는 그날의 그 신문을 내 청춘의 기록 사진첩처럼 통째로 보관하고 있다. 그래서 김훈은 내게 불꽃처럼 각인된 얼굴이다. 아름다움이 폭력을 견뎌내고, 결국 폭력을 넘어서야 한다는 목소리로서의 불꽃 말이다. 정치가 문학의 수준이 되어야만 한다는 명제를 생각할 때마다 내게 떠오르는 몇 사람의 얼굴 가운데 김훈이 있음을 말할 수 있는 지금 이 자리가 그래서 나는 좋다.

사실 《풍경과 상처》, 《자전거 여행》, 《밥벌이의 지겨움》 같은, 그 뒤로 이어지는 그의 빛나는 기록은 모두 삶과 현실 속에서 폭력과 아름다움이 부딪치는 자리의 흔적들이다. 김훈 글의 힘은 바로 그 대립의 긴장에서 나온다. 어느 한쪽이 없으면 타락하고 말 것들. 현실과 일상 속에 웅크리고 있는 폭력의 씨앗을 알지 못하는 아름다움은 공허하다. 하지만 그 폭력에 대해 단순한 고발의 외침을 질러대는 것은 저속하다. 그 폭력을 아름다움의 수준으로 고양시킬 수 없다면, 그 고발의 함성 또한 현실의 소음으로 변할 것이기 때문이다. 그의 비유를 조금 바꿔 표현하자면, 밥벌이는 분명 지겨운 것이지만, 그럼에도 불구하고 우리는 눈물겹게 애쓰며 일해서, 결국 밥을 아름다운 것으로 만들어야 한다.

밥이 애초부터 아름답거나 추한 것이 아니듯이, 우리의 삶과 현실은 그것 자체로 아름답거나 추하지 않다. 우리는 단지 그것을 아름답게도, 또 추하게도 만들 수 있을 뿐이다. 한 가지 전제가 있다면, 밥 없이는 살 수가 없듯이, 누구도 일상과 현실을 떠날 수는 없다는 것이다.

일상 속의 드러나지 않는 영웅

상황은 물론 주어지는 것이다. 우리는 그 상황 '안'에서 선택과 행위를 통해 아름다움을 만들어야 한다. 그것은 고독하고 무서우며 허무한 싸움이다. 결국 혼자 짊어지는 것이기에 고독하며, 순간순간 독버섯처럼 유혹하는 욕망의 지뢰를 밟고 가는 것이기에 무섭고, 또 끝이 없기에 허무하다. 하지만 그 싸움을 그만두는 순간, 우리는 마치 페달 밟기를 멈춘 자전거처럼 짐승의 시간으로 떨어지고 만다.

나는 김훈 문학의 핵심이 그것이라고 생각한다. 거기에는 폭력 속에서 아름다움을 꿈꾸는 반항의 영웅주의가 견고하게 자리 잡고 있다. 그의 불세출의 명작이자 새로운 세기의 우리 문학의 축복인 《칼의 노래》가 그것을 가장 잘 보여준다. 그리고 이번 이상문학상 대상 작품인 〈화장〉도 그 연장선에 있다.

얼핏 보면 김훈이 이런 소재를 다룬 것이 의아스럽기까지 하다. 하지만 그 안에는 피할 수 없는 죽음과 삶의 드라마를 자신의 존재 안으로 끌어들여, 과장도 회피도 없이, 상황과 정면으로 부딪쳐 나가는 인물이 있다. 일상 속의 드러나지 않는 영웅 말이다.

그래서 이 〈화장〉은 아주 흥미 있는 작품이다. 죽음으로서의 '화장'이 동시에 삶으로서의 '화장化粧'과 겹치기 때문이다. 뇌종양으로 죽어간 아내의 간병과 장례 기록이, 같은 회사의 젊은 부하 여직원에 대한 절절한 연모의 기록과 교차하는 것이다. 어쩌면 상투적인 불륜의 고백일 수 있지만, 그런 상투적인 추측을 뒤집는 데에 이 소설의 놀라운 면모가 있다.

화자話者는 국내 굴지의 화장품 회사에서 상무의 자리에 올라 있는 오십 대의 중년 남성이다. 뇌종양에 걸려 몇 번의 수술을 받고도 끝내는 숨져가는 아내를 바라보아야 하는 그의 시선은 냉철한 객관적 관찰자의 그것이다. 아내의 토사물과 배설물을 치우고, 악취를 풍기는 몸을 씻어주기까지 하지만, 그의 시선을 통해 드러나는 아내는 삶으로부터 죽음으로 건너가는 하나의 생명체일 뿐이다. 이것이 이 소설의 죽음, 즉 '화장火葬'의 실체를 이룬다.

반면에 그는 회사에서 5년 전부터 새로 입사한 부하 여직원에 대한 연모의 정을 느낀다. 오십 대의 임원이 이십 대의 신입 사원에게 느낀 감정이 얼마나 강렬한 것인지, 아예 존칭을 사용할 정도다.

절절한 삶의 욕구가 빚어낸 애모

당신의 이름은 추은주秋殷周. 제가 당신의 이름으로 당신을 부를 때, 당신은 당신의 이름으로 불린 그 사람인가요. 당신에게 들리지 않는 당신의 이름이, 추은주, 당신의 이름인지요.

그녀가 다른 남자와 결혼을 하고, 아이를 낳은 뒤에도 그것은 조금도 달라지지 않는다. 그렇다고 화자의 마음이 여자에게 전해진 것은 아니다. 추은주가 사직서를 내고 회사를 떠나기까지 오직 혼자서만 그 마음을 간직하고 되낸다. 하지만 그것이 화자의 절절한 삶의 욕구, 즉 '화장化粧'을 상징하는 것은 분명하다. 추은주를 처음 보았을 때의 화자의 마음의 파문이 그 점을 잘 나타내고 있다.

　아, 살아 있는 것은 저렇게 확실하고 가득 찬 것이로구나
싶어서, 저의 마음속에 조바심이 일었습니다.

　이처럼 '죽어가는' 아내와 '살아 있는' 추은주 사이를 오가
는 화자의 마음이 이 소설에 지워지지 않는 무늬를 남긴다.
그런데 그 무늬는 일상을 배경으로 하고 있기에 더욱 강렬하
다. 그때의 일상이란, 아내의 장례가 진행되는 동안에도 회사
의 광고 콘셉트를 잡아야 하고, 장례를 마치고 돌아와서는 지
극히 사무적으로 추은주의 사직서를 결재해야 하는 무서운
일상이다. 소멸의 어둠과 환한 빛의 삶 모두 일상의 질서를
이루는 부심한 현실일 뿐이다. 그렇게 무심하다 못해 냉혹한
일상 속에 화자의 말 못할 순정은 파묻힌다. 소설의 마지막
은 그래서 이렇게 끝난다. 두 가지 일에 모두 결정을 내리고
돌아온 "그날 밤, 나는 모처럼 깊이 잠들었다. 내 모든 의식이
허물어져 내리고 증발해버리는, 깊고 깊은 잠이었다".
　그런데 그가 깨어 일어나 어떤 모습을 보일까? 나는 그게
궁금하다.

김훈다운 절제와 중용

자주는 아니지만 김훈과 나는 거의 정기적으로 만난다. 저녁 시간 그가 사는 일산에서 함께 식사를 하거나, 술을 마신다. 거기에는 몇 사람의 고정 출연자들이 있다. 모두 다 그를 따르고 좋아하는 사람들이다. 이렇게 도당徒黨을 거느린 것을 보면 그가 서울깍쟁이만은 아닌 것 같다. 때로는 그들과 멀리 여행을 가기도 한다. 그런데 놀라운 것은, 날이 다르고 해가 다르고 장소가 달라져도 그는 언제나 변함이 없다는 사실이다. 늘 김훈스러운 지점에서 그는 움직인다. 절대로 과식하는 법이 없고, 또 취해서 비틀거리는 모습도 보이지 않는다. 알고 있던 모습만큼 웃고, 예상했던 지점에서 끝을 낸다. 김훈 특유의 화려한 수사修辭가 만발하는 순간에도 절대로 자신을 내버려두지 않는, 안으로 잘 갈무리된 그의 글이 그러하듯이 말이다.

지난가을의 어느 날, 나는 그의 집 가까운 카페에서 혼자 커피를 마신 적이 있다. 오후이긴 하지만 이른 시간인 데다 밀린 일이 있어 그에게 따로 연락을 넣지 않았다. 그런데 어느 순간 고개를 들어보니, 그가 길 건너편에서 평상복 차림으로 걸어가고 있었다. 아마도 산책을 나온 것 같았다. 문을 열고 나가서 부르려다가, 그가 사라질 때까지 가만히 보고 서 있었다. 그는 정해진 속도와 보폭으로 자기의 영역을 걷고 있었다. 마치 고요한 긴장이 흐르고 있는 전선戰線을 순찰 중인 병사처럼 보였다. 아니, 침묵 속에 잠겨 걸으며 작전을 짜고 있는 장수將帥였다. 모든 것을 왜소하고 거칠게 만드는 우리의 옹색하고도 비루한 삶에 대한 선전포고를 앞두고 있는 장수 말이다. 비록 과작寡作이나 그치지 않고 이어질 그의 힘찬 언어를 기다리는 것은 그 때문이다.

여성들의 목소리가 두드러졌던 90년대 우리 소설의 꽃밭에 성큼 뛰어든 맹수 김훈의 포효를 반긴 사람은 그래서 나만이 아닐 것이다. 그 증거가 바로 여기 이상문학상의 수상에 있다.

그가 지금 머물고 있는 일본 경도京都에 축하 전화를 넣어야겠다.

초라한 현실을 넘고,
다시 판타지도 넘어서

문학평론가 김종욱

가장 정치적인 첫 영상세대로서의 경험

지난 2003년, 박민규는 《지구영웅전설》과 《삼미 슈퍼스타즈의 마지막 팬클럽》으로 문학동네신인작가상과 한겨레문학상을 동시에 수상함으로써 새로운 작가의 탄생을 극적으로 선포한다. 두 작품은 80년대에 청년기를 보냈던 세대의 경험을 정치담론이 아닌 문화담론의 틀로 재해석했다는 점에서 대중의 관심을 이끌어냈을 뿐만 아니라, 만화·판타지처럼 본격문학의 장으로 진입하기 시작한 하위 장르의 양식들을 차용하여 참신하고 실험적인 태도를 보여주었다는 점에서 평단의 호평을 이끌기에 충분한 것이었다.

작가와 비슷한 연배를 살았던 사람들은 쉽게 동의할 수 있는 바이겠지만, 1970년대 말부터 1980년대 초로 이어지는 시기는 무릇 정치적인 영역에서의 격변만을 초래했던 것은 아니었다. 매스미디어의 중심이 라디오에서 텔레비전으로 옮겨갔으며, 무미건조한 무채색을 천연색 컬러의 화려함으로 탈바꿈시키는 기술적 진보가 이루어졌다. 그 무렵 소년들을 매혹시켰던 것은 일본산 애니메이션과 미국산 TV 영화, 그리고 막 태동하기 시작한 국내산 스포츠들이었다. 이러한 이미지를 소비하면서 소년들은 여러 캐릭터들이 보여준 탁월한 능력과 도덕적 용기를 배웠고, '정의 사회의 구현'에 대한 신념을 키울 수 있었다. 하지만 역사의 본류에서 동떨어져 있는 줄도 모른 채 길들여지던 소년들의 삶은 청년기로 접어들면서 커다란 변곡점을 맞이한다. 스무 살 무렵의 청년들은 기성세대에 대한 배신감과 역사에 대한 자괴감을 떨치기 위해 일상을 속물적인 것으로 팽개쳐버린 채 정의와 진리의 영역으로 비상했던 것이다.

그런 맥락에서 본다면 《지구영웅전설》과 《삼미 슈퍼스타즈의 마지막 팬클럽》은 어느 세대보다 정치적이었던 첫 영상 세대의 경험과 무관하지 않다. 작가는 《지구영웅전설》에서 만화적 캐릭터들을 총동원한다. 주인공 '나'는 슈퍼맨, 배트맨과 로빈, 아쿠아맨, 원더우먼 등 지구를 지키는 슈퍼특공대의 활약에 매료된다. 그리고 우연한 기회에 고층 건물에서 자살을 시도하다가 슈퍼맨의 도움으로 살아나 정의의 본부에 머물게 되면서 슈퍼특공대원 '바나나맨'으로 다시 태어난다.

하지만 지구를 지키겠다는 웅대한 포부에도 불구하고 바나나맨에게 주어진 일은 원더우먼의 탐폰을 사는 것과 같은 잔심부름뿐이다. "겉은 노랗고 속은 흰" 바나나맨은 백인이 아니기 때문에 진짜 영웅이 될 수 없는 것이다.

이처럼 박민규는 파농이 말했던 "검은 피부 흰 가면"을 차용한 듯한 바나나맨을 통해서 미국식 패권주의에 순치되는 제삼세계를 거대한 알레고리로 형상화한다. 지구를 지키는 다섯 형제들은 제국으로서의 미국의 힘을 상징하는 기표다. 각각의 슈퍼 히어로들은 상상을 초월하는 물리력과 경제력, 그리고 성적 판타지를 통해서 제삼세계의 육체와 영혼을 지배하는 팍스아메리카나의 여러 모습인 것이다. 슈퍼맨의 위장 사망과 배트맨의 등장이 제2차 세계대전을 전후로 한 제국주의의 신식민주의적 변모를 강하게 암시하는 것도 이러한 까닭이다. 결국 지구적 정의를 수호하려는 제삼세계 소년의 순수성은 세계를 지배하는 제국주의에 포섭되는 반어적 상황으로 귀결된다. 이러한 알레고리로 표현된 정치성이 만화적 상상력을 기초로 판타지라는 대중문화적 코드를 담고 있는 박민규를 다른 작가들과 구별되는 지점으로 만들어낸 것은 부연할 필요도 없을 것이다.

1980년대에 프로야구에 열광하면서 소년에서 청년으로

성장했던 한 인물의 이야기를 서사적 뼈대로 삼고 있는《삼미 슈퍼스타즈의 마지막 팬클럽》또한 마찬가지다. 주인공은 같은 지역에 살고 있다는 이유만으로 인천을 프랜차이즈로 삼은 프로야구단 삼미 슈퍼스타즈의 팬이 될 수밖에 없었지만, 전대미문의 패배를 거듭하는 모습 때문에 많은 상처를 안게 된다. 고등학교에 진학하면서 삼미 슈퍼스타즈와 같은 패자가 아니라 승자의 삶을 살아가기 위해 명문대에 입학하지만, 결국에는 직장에서 퇴출당하고 아내와도 이혼하는 등 자신의 의지와는 달리 낙오자의 길로 떠밀려간다. 그리하여 경쟁에서 승리한 자를 위해서만 축제를 준비함으로써 인간을 약육강식이 지배하는 지독한 정글로 만들어내는 자본의 논리에 의문을 품게 된다. 전혀 프로답지 않게 "치기 힘든 공은 치지 않고 잡기 힘든 공은 잡지 않는" 삼미 슈퍼스타즈에서, "해가 뜨면 마을 사람들은 일을 시작한다. 아무도 서두르지 않는다. 뛰어다니는 것은 개들뿐이고, 때가 되면 밥을 먹고, 해가 지면 잠을 잔다"는 '삼천포' 해변 마을에서 진정한 삶의 가치를 발견하는 것이다.

이처럼 박민규의 상상력은 새로운 영상문화의 문화적 경험과 80년대의 역사적 경험에 바탕을 둔 것이다. 그가 포착한 '미국'이라는 키워드는 민족이라는 범주와, '경쟁'이라는 키워드는 민주라는 범주와의 상관관계 속에서만 의미를 지니기 때문이다. 따라서 《지구영웅전설》과 《삼미 슈퍼스타즈의 마지막 팬클럽》은 아무것도 모른 채 주류적 가치에 순치되었던 과거에 대한 하나의 현재적 주석을 붙이는 것이라고 말해도 좋을 것이다. 두 작품 모두 후반부에서 서사적인 반전을 통해서 다시 현실로 돌아오는 이원적 구성을 취할 수밖에 없었던 것은 바로 이 때문일 것이다.

21세기 청년들의 삶을 다양하게 형상화

현실 사회를 지배하는 제국과 자본의 질서에 대한 딴지걸기는 단편집 《카스테라》에서 당대적인 현실과 만난다. 특히 《삼미 슈퍼스타즈의 마지막 팬클럽》에서 보여주었던 자본주의적 경쟁에 대한 문제의식은 신자유주의 질서 속에 내몰린 청년들의 절박한 삶과 만나면서 구체성을 획득하기 시작한다. 어쩌면 80년대를 살았던 많은 청년들이 속악한 현실을 거부하고 고상한 진리의 영역으로 손쉽게 비상할 수 있었던 까닭은 개발도상국 특유의 역동적인 사회 분위기 덕분이었는지도 모른다. 노동집약적인 산업구조 때문에 완전고용에 가까운 낮은 실업률을 유지할 수 있었고, 그 덕분에 많은 청년들은 취업에 대한 고민 없이도 사회에 진출할 수 있었으며,

근대화 초기의 높은 사회변동성은 누구나 열심히 노력하면 사회 상층부로 진입할 수 있는 가능성을 열어놓고 있었던 것이다.

그런데 21세기를 살아가는 청년들에게 현실은 더 이상 가능성과 희망의 공간이 아니다. 그들은 아르바이트, 인턴과 같은 비정규직으로 겨우 생활을 꾸려나가다가 끝내는 소모품처럼 시장에서 내팽개쳐진다. 그들은 아직 중심에 진입하지 못한 주변인이며, 경쟁에서 탈락한 패배자들이다. 어쩌면 더 이상 사회의 중심에 들어갈 수 있는 가능성조차 얻지 못한 채 자본의 논리가 지배하는 현실 사회에서 무능력자라는 오명을 뒤집어쓴 채 끝내 버려질지도 모를 일이다. 그런 점에서 청년이라는 이름은 적어도 오늘날의 한국 사회에서는 사회적 타자의 다른 이름인 셈이다.

박민규는 《카스테라》를 통해서 21세기 청년들의 삶을 다양한 방식으로 형상화한다. 〈고마워, 과연 너구리야〉에서 주인공은 다른 일곱 명의 인턴사원과 경쟁하는 까닭에 차비 정도의 월급을 받으면서도 강도 높은 노동 조건에 혹사당하고, 끝내는 남색가인 직장 상사에게 성적 유린을 당하면서도 아무런 반항도 할 수 없는 상황에 놓여 있다. 혹은 전문대를 졸업하고 일흔세 번이나 입사 시험에서 떨어진 후 유원지에서 아르바이트를 하면서 공무원 시험을 준비하거나(〈아, 하세요 펠리컨〉), 시간당 천 원 남짓한 시급을 주는 주유소와 편의점을 거쳐 지하철 신도림역에서 푸시맨으로 일하기도 한다(〈그렇습니까? 기린입니다〉). 이렇듯 박민규가 관심을 두고 있는 인물들은 대부분 아르바이트, 인턴과 같은 비정규적인 노동에 혹사당하는 젊은 청년들이다.

그들은 과거와 크게 다를 바 없는 노동에 종사하고 있지만, 그들이 받는 대가는 초라하다. 이에 따라 생존을 위한 현재적 삶에 거의 모든 것을 맡기면서 사회적 성공이나 경제적 상승을 꿈꿀 여유조차 갖지 못한다. 오직 "높은 가지의 잎을 따먹듯, 균등하고 소소한 돈을 가까스로 더하고 빼다 보면, 어느새 삶은 저물게 마련이다". 더욱 심각한 것은 가난과 멸시의 굴레를 벗어나기 어려운 자신들의 사회적 위치에 대해 저항하거나 분노할 여력조차 없다는 점이다. 그들의 얼굴에서 유쾌한 웃음을 찾아보기 어려운 것은 당연한 일이겠지만, 그렇다고 해서 슬픔과 분노의 표정을 발견하는 것 또한 불가능한 것도 이 때문이다.

〈갑을고시원 체류기〉에서 주인공은 아버지의 부도 때문에 집안이 풍비박산 나자 친구 집에서 잠시 얹혀 지내지만 결국 눈총을 이기지 못하고 고시원에 입주한다. 그런데 빨간색 스포츠카로 가난한 친구의 짐을 고시원에 옮겨다 주면서 친구가 내뱉었던 말, "여기서 사람이 살 수 있을까?"라는 물음은 주인공이 처해 있는 사회적 상황을 압축적으로 보여준다. 다리를 뻗기조차 힘든 좁은 고시원 공간에서 살아야만 하는 사람과 빨간색 스포츠카를 몰고 다니고 미스코리아와 결혼할 수 있는 사람 사이에는 아득한 사회적 거리를 암시하고 있는 것이다. 그것은 이미《삼미 슈퍼스타즈의 마지막 팬클럽》에서 보여주었던 프로페셔널과 아마추어의 경쟁 논리에 근거를 두고 있지만, 그것이 사회구조화되면서 한 개인의 노력에 의해 극복될 수 없는 것임을 상기시킨다.

〈그렇습니까? 기린입니다〉의 '산수'와 '수학'의 이분법은 그것을 잘 말해준다. 시간당 천 원 남짓한 시급을 주는 주유소와 편의점을 벗어나 시급이 삼천 원으로 오르는 푸시맨이 된다고 하더라도 그것은 다람쥐 쳇바퀴 돌듯 '산수'의 세계에서의 일이다. 을씨년스러운 사무실로 도시락을 싸서 출근하는 아버지를 지하철에 밀어 넣고, "수많은 인간들의 고통을 목격"하는 대가에 지나지 않는다. 뿐만 아니라 아무리 노력하더라도 고시원과 임대 아파트를 벗어날 수 없을 것이다. 결국 아버지가 살았던 '산수'의 세계는 아들의 삶에 그대로 전해지는 천형이나 원죄임에 틀림없다.

이렇듯 처량한 현실 속에서 벗어날 가능성을 전혀 발견할 수 없을 때 판타지가 발생한다. 〈걸리버 여행기〉를 비롯해 아버지와 학교, 국회의원과 대통령, 미국과 중국을 통째로 냉장고 속에 집어넣는다는 내용의 《카스테라》는 코끼리를 냉장고에 넣는 몇 가지 방법이라는 80년대의 유머를 닮았지만, 그 속에는 현실을 타락시키고 부패하도록 만드는 것들에 대한 강한 비판과 냉소가 담겨 있다. 이러한 비판과 냉소는 〈아, 하세요 펠리컨〉에서 산수와 수학, 성공과 실패로 양분된 세계를 탈주하려는 욕망과 결합된다. 자살한 사람이 탔던 오리배를 타고 세계를 부유하는 판타지는 《지구영웅전설》처럼 미디어의 복제로 얻어낸 '아메리칸 히어로'와는 발생 과정이나 지향점에서 분명히 다른 양상을 띠고 있다. 오리배세계시민연합의 판타지는 현실의 격랑 속에서 좌초되고 추방당한 '보트 피플'의 아픔이 담겨 있기 때문이다.

이러한 판타지는 링고 스타와 함께 버스를 타고 우주여행을 떠난다는 다소 황당한 이야기를 그린 〈몰라 몰라, 개복치라니〉에서 우주적 규모로 확대된다. 우주여행을 통해서 주인공은 지구가 공처럼 둥근 것이 아니라는 사실을 발견한다. 그리고 마침내 지구는 개복치처럼 자신의 몸을 뒤척여 "생소하고 난감한 자신의 평면", 곧 표면 속에 감춰진 이면, 성공의 신화 속에 숨겨진 좌절이라는 "복잡한 느낌의 납작"한 세계를 드러내고 있는 것이다.

이처럼 《카스테라》를 통해 박민규는 21세기의 현실에 정착하면서 전작에서 보여주었던 80년대적 감수성과도 결별한다. 그는 〈코리언 스텐더즈〉에서 "동지가 간 데를 알아도, 깃발은 나부끼지 않"는 시대를 말한다. 어쩌면 그가 질책하고 있는 것은 민중을 소리 높여 외치던 80년대의 청년들이 이제는 신자유주의의 기치를 높이 들고 자기 생존을 도모하는 것을 꼬집고 있는지도 모른다. 한때 민중의 대변자라고 자처했던 그들 역시 민중을 팔아 자신의 지위를 샀는지도 모른다. 대의정치가 국민들의 의사를 팔아 자신의 권력을 장악하는 방식이라면, 대항 권력 역시 같은 모습으로 변질되었음을 자각하고 있는 것이다. "이미 세계는, 어떤 거짓말을 해도 그렇고 그렇게 들릴 만큼 그렇고 그런 곳이 되"어버린 것이다. 요컨대 신자유주의의 득세로 일컬어지는 자본의 논리에 포섭되어 누구의 도움도 받지 못한 채 현실적인 체념과 환상적인 위안만이 가능한 세계가 《카스테라》의 세계인 것이다.

부조리에 대한 부정에서 '소통'으로의 변화

오랫동안 문학은 현실에서 패배한 자들의 삶을 그려왔다.

물론 그 패배의 의미는 시대에 따라, 상황에 따라 달라져왔지만 지배적인 가치에 맞서왔던 것만은 분명해 보인다. 박민규가 보여주었던 것은 '코리언 스텐더즈'라고 불리는 지배적이고 중심적인 가치를 전복시키려는 강한 의지였다. 이 과정에서 가치의 낭만적인 전도, 장르 위계의 번복, 삶의 아이러니에 대한 발견이 이루어졌다. 하지만 부패하고 부조리한 현실에 대한 부정 의지로 충만한 박민규의 세계는 새로운 가능성을 발견하지 못한 채 머뭇거리고 있는 듯하다.

《핑퐁》의 주인공은 학교에서 '왕따' 취급을 받고 있는 인물이다. "나는 따의 전형이다. 허약하고, 겁이 많고, 눈에 띄지 않고, 공부도 못한다. 무엇 하나 잘하는 게 없다. 없을 수, 밖에. 무관심, 무신경, 무감각, 무소유, 그리고 평소엔 박테리아처럼 숨어 있다." 하지만 박테리아처럼 유기체의 내부에 숨어서 가만히 있던 '나'는 또 다른 왕따 '모아이'를 만나면서 변화하기 시작한다. 치수의 폭력에 억눌리고 있던 두 사람은 벌판에서의 탁구 치기를 통해 상호간의 소통 가능성을 모색한다.

이 작품에서 탁구는 공을 주고받는 행위를 통해서 타인과 소통하는 형식이었다. 경기가 진행되기 위해서는 한 사람이 일방적으로 주도권을 행사해서는 안 된다. 타자의 리시브가 존재해야만 핑, 퐁, 핑, 퐁 게임은 지속될 수 있다. 또한 자신

이 게임에서 득점을 올린다고 하더라도 "이 순간 자신의 득
점에 운이 따랐을 뿐"이라고 "럭키!"라고 외쳐줌으로써 타자
를 배려하는 윤리적인 태도를 지녀야만 한다. 그래서 끝나지
않은 듀스 게임을 지속하도록 배려하는 것이 절실히 요구되
는 것이다. 그렇지만 "세계가 깜빡한" 존재로서의 '나'와 '모
아이'는 "인류의 구조는 탁구 자체가 불가능한 것"이라는 결
론에 도달하고 세계를 '언인스톨'시키기로 결정한다.

　여기에서 우리는 박민규가 도달한 허무주의의 한 극한을
만나게 된다. 물론 세계를 '언인스톨'하지 않고서는 도저히
바꿀 수 없다는 극한의 허무주의가 판타지라는 틈조차 허용
되지 않는 강고한 현실 때문인지, 아니면 판타지 자체의 무용
성에 대한 인식에서 비롯하는지 분명하지 않다. 작품의 결말
부분에서 세계를 '언인스톨'시킨 후 주인공은 환상에서 깨어
나 다시 학교를 향해 걸어가야만 하듯이 말이다. 다시 원점에
선 셈이다. 지금까지 현실과 판타지 사이에서 끊임없이 줄타
기를 하면서 글쓰기의 자유를 만끽해왔던 박민규는 새로운
돌파구를 찾아야만 하고, 어떤 방향을 지향해야만 하는 지점
에 도달했던 것이다.

　이 지점에서 박민규가 보여준 것이《죽은 왕녀를 위한 파
반느》였다. 이 작품은 얼굴 못생긴 여자라는 '21세기적 천민'

에 대한 헌신적인 사랑을 내세워 지금까지 자신이 보여주었던 사회적 타자에 대한 관심을 유지하는 한편, 외모 지상주의에 빠진 사회에 대한 냉소와 비판을 보여주고 있다. 뿐만 아니라 작품의 결말을 하이퍼텍스트 형식으로 열어놓음으로써 새로운 형식적 실험을 꾀한다는 점에서 여전히 박민규다운 면모를 간직한 것처럼 보이기도 한다. 하지만 이 작품은 정작 작가의 행로를 짐작하기에는 불충분한 것이다. 한 여자에 대한 헌신적이고 지고지순한 사랑이라는 판타스틱한 로맨스는 그동안 그가 탐구했던 청년들의 초라한 현실을 제거함으로써 겨우 얻어낸 것에 불과하기 때문이다.

오히려 새로운 가능성은 단편의 영역에서 모색되고 있는 듯하다. 과학소설의 형식을 차용한 〈크로만, 운〉, 〈깊〉이라든가 무협 소설의 형식으로 쓴 〈龍龍龍龍〉, 그리고 전통적인 서사 문법에 충실한 〈근처〉와 같은 작품을 통해서 여전히 의뭉스럽게 자신의 세계를 구축하고 있다. 또한 문장 곳곳에 숨겨진 채 부조리한 현실을 날카롭게 겨누고 있는 촌철살인의 비판 의식도 여전히 살아 있다. 더욱 반가운 것은 《핑퐁》을 통해서 어렵사리 획득한 타자와의 소통 가능성이 점차 힘을 얻어가고 있다는 사실이다. 더 이상 세계는 혼자서 견뎌야만 하는 곳이 아니라 비록 힘들고 고통스러운 길이지만 함께 보듬고

가야 할 곳으로 그려지고 있는 것이다. 그래서 박민규의 작품
이 어떤 모습으로 변하는지를 지켜보는 것은 우리 사회에서
희망의 싹이 어디에서 어떻게 자라고 있는지를 확인하는 일
이 될 것 같은 예감이다.

이상문학상
대상 작가를
말한다

박상우를 말한다

샤갈의 마을에서
옥탑방에 이르는 길

문학평론가　하응백

80년대의 '압박'과 90년대적 '실존'

박상우는 1988년《문예중앙》신인문학상에 중편 〈스러지지 않는 빛〉으로 등단한 후, 창작집으로《샤갈의 마을에 내리는 눈》(1991),《독산동 천사의 시詩》(1995)를, 장편소설로《지구인의 늦은 하오》(1990),《시인 마태오》(1992),《나는 인간의 빙하기로 간다》(1993),《섬, 그리고 트라이앵글》(1994),《호텔 캘리포니아》(1996),《카시오페아》(1997) 등을, 콩트집으로《소설가는 유서를 남기지 않는다》(1996), 선집으로《백야》(1996) 등을 출간했다. 다작이 한 작가의 문학적 성취도를 보장하는 것은 아니지만, 박상우는 부지런함으로 90년대를 관통한 젊은 작가군의 대표적인 작가다.

박상우는 동시대의 감성으로 동시대의 고민을 감각적으로 포착한다. 통과의례적인 성격이 강한 등단작 〈스러지지 않는 빛〉에서 군에 입대한 두 미술학도를 내세워 권력과 예술의 관례를 천착했던 박상우는, 그 이후 일련의 단편에서 폭력적이고 제도적인 권력에 의해 파멸되어 가는 개인의 실존을 곧잘 주제로 삼았다. 그것은 그가 70년대 말에서 80년대 초까지 대학생이었다는 점과 5공화국 초기에 군 생활을 했다는 점에서, 또한 80년대에 작가 지망생이었다는 점에서, 어쩔 수 없이 짚고 지나가야 할 징검다리 같은 것이기도 했다. 이러한 박상우가 변별성을 내세우며 한국 소설에 일성을 가한 작품이 바로 1990년에 발표한 〈샤갈의 마을에 내리는 눈〉이다.

여섯 명의 사내들 '우리'가 있다. 그들은 지나간 80년대의 전망이 더 이상 희망이 아님을 감지하며 다가올 90년대 앞에 우두망찰 서 있다. 모두들 열정에 차서 떠들어대던 정치적 청사진은 어디로 간 것일까. 그들은 젊었기에 열광했고, 그 열광은 젊었기에 쉽게 식어버렸다. 그들 중의 누군가가 "앞으로 내 앞에서 정치의 '정'자도 꺼내지 마. 그런 얘기를 꺼내는 새끼는…… 그런 새끼는 그냥 두지 않겠어"라고 해도 별 반응이 없다. 모두가 회의론, 혹은 허무주의에 감염된 탓이다.

그런 그들이 80년대의 마지막을 장식하는 폭설이 내리는 날, 누군가의 발의에 의해 모여서 술을 마신다. 열정이 사라졌으므로 당연히 술자리는 김빠진 맥주 같다. 지난날의 동지애는 사라지고 '우리'의 구성원들은 제 갈 길만을 생각한다.

"환상이 깨어진 뒤에 인간들은 자아를 찾아 뿔뿔이 흩어져" 가는 것이다. 술자리의 차수가 진행되면서 '우리'는 흩어져 마침내 둘만 남는다. 그 둘은 카페에서 만난 여자의 제의로 그녀의 화실로 가서 술을 마신다.

이 화실은 밀폐된 공간이다. 80년대적 희망이 군중의 열린 광장으로 상징된다면, 박상우의 밀폐된 공간은 광장의 희망이 사라진 뒤 상처받은 개인이 자신의 상흔을 돌보는 곳이거나, 실존의 자유를 찾는 상징적인 공간이다. 박상우는 〈샤갈의 마을에 내리는 눈〉 이후 많은 작품에서 밀폐된 공간을 노정시킨다. 그것이 카페든, 호텔방이든, 허름한 옥탑방이든 그 공간에는 남자와 여자 두 주인공이 절망에서 벗어날 몸짓을 하고 있다. 그들은 다시 광장으로 나오고 싶어 한다. 그러나 이 광장은 80년대식의 군중의 광장이 아니라 실존의 광장이다. 이 광장은 작가적 입장에서 본다면 90년대식 소설의 출구이기도 하다. 실존의 유토피아, 혹은 소설적 지향점이 폐쇄된 공간으로 한정되는 것은 소설 쓰기의 90년대적 환경이 그만큼 더 교활해졌다는 뜻이기도 하다.

그녀는 술을 마시다가 "난 솔직히 말해 당신네들이 그 카페에서 매번 떼를 지어 몰려와 떠들어대는 걸 들으면서 속으로 얼마나 혐오했었는지 몰라. 거기에 무슨 의미가 있는데?"

하며 둘만 남은 '우리'를 공격한다. 바로 이 "거기에 무슨 의미가 있는데?"가 80년대를 향한 90년대의 직설적 공격이다. 그리고 그녀는 술에 취해 "춥고 배고파, 그리고 남자와 자고 싶어……"라고 중얼거린다. 개인 욕망의 직접적 분출이 '우리'의 80년대적 전망을 압도하는 대목이다. 그녀의 이 발언은 80년대를 마감하는 소설 속의 폭설처럼 압도적이다.

〈샤갈의 마을에 내리는 눈〉이 발표된 지 거의 십 년이 지난 지금, 돌이켜보면 90년대의 한국 소설은 "춥고 배고파. 그리고 남자와 자고 싶어"를 정성스럽게 실천하고 있었던 것이 아닌가. 물론 박상우의 이러한 선취는 논리적이라기보다는 감각적인 것이었다. 이 소설의 마지막 문장 "몽중에 그러는 것처럼, 그때 우리 중 하나가 탁자 밑으로 손을 뻗어 나머지 하나의 손을 필사적으로 거머쥐었다"를 보면, 박상우는 80년대의 문학의 압력을 여전히 받고 있는 것으로 판단된다. 그래서 '우리'를 '필사적으로' 확인하고 싶은 것이다.

바로 이 지점이 박상우가 80년대와 90년대, 이성과 감성, 논리와 감각 사이에서 갈등하는 곳이다. 대세는 감성과 감각 쪽에 있다. 그러나 쉽게 광장의 '우리'를 포기할 수는 없다. 그것은 박상우의 문학적 자존심과 이십 대의 양심의 부끄러움 문제이기 때문이다.

추상에서 구체로, 정치에서 일상으로

〈호텔 캘리포니아〉의 주인공 김영준이 시대를 향해 무엇인가를 해야 한다는 것, 그래서 작가가 된 것처럼, 박상우도 바로 그것이 작가가 된 하나의 이유로 보아도 큰 무리는 없다. 하지만 박상우의 감각이 포착해낸 소설적 환경은 돌변했다. 어디로 갈 것인가. 90년대의 벽두, 박상우는 창작 방법론과 창작의 주제적 지향점에서 심각한 고민을 하지 않을 수 없었다. 그 고민의 결과물이 〈사하라〉(1993), 〈산타 페〉(1993), 〈호텔 캘리포니아〉 등이다.

이러한 소설들의 서구 지향적 제목 자체가 박상우의 고민을 함축하고 있다. 영국 작가 제임스 힐튼의 〈잃어버린 지평선〉(1933)에 나오는 샹그릴라Shangri-La가 서구인들에게 무릉도원의 의미로 읽히듯, 박상우는 역으로 사하라와 산타 페와 캘리포니아를 자기 소설의 탈출구로 상정하는 것이다. 하지만 무릉도원이 늘 그러하듯, 그것의 실체는 없다. 박상우가 자신의 소설적 공간을 독산동이나 옥탑방으로 바꾼 이유도 이것과 상관있다.

〈산타 페〉는 박상우의 그때까지의 소설에 대한 고민과 소설론이 생경하게 드러난 소설이다. 한 편의 소설론이기에 박상우는 환각적 장치를 마련한다. 이 년 반 동안 자신에게 전화를 하고, 전화 통화 속에서 알몸을 보여주겠다는, 그리고 산타 페라는 호텔 커피숍에서 만나자는 약속을 하고 아홉 번이나 바람맞힌 여자를 등장시킨다. 열 번째의 약속에서 주공인 소설가는 그 여자에게 납치되어 호텔방에 유폐된 채 그녀와 대화를 나눈다. 이 모두는 소설적 골격을 위한 장치이며 이들의 대화 속에서 박상우의 소설론이 개진된다.

이 소설론을 요약하면, 과거 이 작가의 소설은 "오직 정치적인 쪽으로만 의식이 열리고 굳어져서 세상 모든 걸 정치적인 틀 속에서 발견하고, 해석하고, 재생산해내려" 했다는 것. 따라서 변해버린 세계에 대한 유효성을 상실했다는 것. 그래서 작가는 한동안 소설을 쓰지 못했다. 그는 지나간 시대와 다가올 시대의 연관성을 찾지 못했고 "환멸이라는 이름의 전동차에 실려 가는 크로마뇽인의 초상"을 보았을 뿐이었다. 작가는 절망한다. 무엇을 쓸 것인가. 작가는 추상적으로 다음과 같이 말한다.

그렇게 안타까운 심정으로 굵은 눈물방울을 떨어뜨리며, 그는 오래오래 흰 모래의 사막을 적셨다. 사막이 빈틈없이 젖을 때까지, 언어가 되어지지 않는 자신의 현실을 힘겹게 견뎌 나간 것이었다. 무엇을 말할 수 있고, 무엇이 언어가 될

수 있는 것일까. 문득 고개를 들어 올리고 그는 자신에게 손
짓을 하던 여자를 바라보았다. 여자는, 영원히 그럴 것처럼,
여전히, 그 자리에, 있었다. 연결……느낌……상상……실
제…… 그리고 젖은 모래에서 피어나는 말의 꽃!

여기서 산타 페와 여자란 일상적인 잡다한 삶의 하나. 연결
과 느낌과 상상과 실제의 매개체다. 요컨대 박상우는 추상에
서 구체로, 정치에서 일상으로 소설의 방향성을 바꾸겠다는
것이다.

정치적 과잉 의식의 배제와 일상으로의 전이

〈산타 페〉가 선언적 의미의 소설이라면, 연작소설집《호텔
캘리포니아》는 박상우 소설관의 방향 전환을 구체적으로 보
여주는 소설이다. 이 작품은 각각의 중편소설 〈캘리포니아
드리밍〉(1992), 〈호텔 캘리포니아〉(1993), 〈캘리포니아 블루
스〉(1995)가 합쳐져 이루어진 것이다.

첫 소설 〈캘리포니아 드리밍〉의 무대는 81년의 논산 훈련
소. 화자는 대학을 졸업하고 윤혜란과의 사랑도 보류한 채 입
대한 김영준. 그가 훈련소에서 만난 인물이 서정도. 서정도는
정신이상자로 판정받아 훈련소에서 빠져 나가기 위해, 내무

반장의 잔인하고 혹독한 폭력에도 불구하고 집총을 거부한다. 김영준은 서정도의 형이 시국 사건에 연루되어 의문의 변사체로 발견되었음을 알게 되면서 그를 경멸하기 시작한다.

아무리 사랑하는 사람이 있는 캘리포니아라 해도 그곳에 가기 위해, 이 땅의 현실을 팽개치고 정신병자 노릇을 해야 하는가? 서정도는 정밀 검사에서 정신이상 판정을 받지 못하자 자살하고 만다. 서정도의 '캘리포니아 드리밍'은 말 그대로 꿈으로 끝나버리고 마는 것이다. 반대로 김영준은 현실이 그럴수록 "시대를 향해 '나는 무엇인가를 해야 한다' 혹은 '나는 무엇인가가 되어야 한다'는 철석같은 신념"을 가지고 있다.

1992년이 배경인 〈호텔 캘리포니아〉에서 김영준은 소설가로 변신한다. 김영준은 시대를 향해 무엇인가를 해야 했고, 그 무엇이 바로 소설 쓰기였던 것이다. 그러나 그즈음 김영준은 작가로서의 위기에 봉착한다. "아무리 정신을 추스르려 해도 도무지 집중력이 생겨나질 않는" 것이다. 종말론과 포스트모더니즘 논의가 난무한다. 혼성 모방을 "포스트모더니즘이라고, 아니 표절이라고 악다구니를 써대는 세상". 작가 김영준은 어리둥절해한다. 상황이 그렇다면 김영준의 소설 쓰기는 시대를 향한 그 무엇도 아닌 셈이다. 망연자실한 그는 한 작가 지망생의 6·25를 소재로 한 소설을 보면서 서서히

위기감의 실체를 깨닫는다. 작가 지망생의 6 · 25와 자신의 80년대는 결국 고통의 진원지라는 점에서 동일한 공간인 것이다. 그러나 김영준에게 문제는 80년대의 소설화가 그의 상처를 어루만져주지 못함을 이미 알고 있다는 데 있다. 상황이 변해버린 것이다. 그는 다른 소설적 돌파구를 마련해야 한다는 강박관념에 시달린다. 그 돌파구의 상징적 장치가 캘리포니아다.

여기까지 보면 이 소설 연작이 〈샤갈의 마을에 내리는 눈〉과 〈산타 페〉의 세계에 바로 맞닿아 있음을 알 수 있다. '산타 페'나 '캘리포니아'나 다 같이 소설적 유토피아의 세계인 것이다. 그렇다면 캘리포니아에 도착한 김영준의 이야기를 다룬 〈캘리포니아 블루스〉는 어떻게 진행될까.

소설의 모든 주요 인물이 갈망하던 땅에 드디어 김영준은 도착했다. 그러나 그것은 정착이 아니라 옛 애인의 전화 한 통에 이끌려 날아온 잠시의 여행이다. 영준의 옛 애인 혜란은 대학 시절 그를 지독히 사랑했지만 캘리포니아라는 욕망을 위해 김영준을 버렸다. 그런 혜란을 만나러 영준이 캘리포니아로 간 것은 캘리포니아의 실체 혹은 혜란의 삶을 확인하기 위한 것이다.

혜란은 당연히도 무너져 있다. 남편과 이혼하고 아홉 살 난

딸을 키우며 알코올중독 증세를 보이고 있다. 영준과 혜란은 캘리포니아에서 캘리포니아를 찾아 떠나는 자동차 여행을 시작한다. 혜란의 캘리포니아는 어디에 있을까. 그것은 아마도 그녀가 버린 김영준과의 사랑이었을 것이다. 그러나 김영준은 그녀의 때늦은 사랑을 거부한다. 그는 90년대식으로 80년대의 고통을 흘려보내고 싶지 않았던 것이다. 모든 캘리포니아를 상실한 윤혜란은 결국 권총으로 자살한다.

이 소설에서 유토피아는 없다는 식의 표면적 주제보다 더 중요하게 보이는 것은 박상우의 소설적 결단이다. 그는 정치적 과잉 의식을 배제하기 위해 이국 취향의 유사 유토피아를 찾았고, 그곳에서 다시 일상적 현실로 소설의 무게 중심을 전이할 가능성을 찾은 것이다. 그 결과가 바로 〈독산동 천사의 시詩〉(1994)와 〈내 마음의 옥탑방〉(1998)이다.

90년대 문화 상업주의와 순수성

〈독산동 천사의 시詩〉에서 주인공인 시나리오 작가는 우연히 나수미란 여자를 만나 같이 술을 마시다 거액을 털리게 된다. 나수미의 행위는 범죄와 다름없지만, '나'는 독산동 달동네에 있는 그녀의 방에서 하룻밤 동침하면서 그녀가 처한 환경을 이해한다. 그녀의 선택은 그녀로서도 불가항력이었던 것이다. '나'는 후에 그녀를 찾아 헤매지만 결국 찾는 데 실패하고 만다.

이 소설에서 나수미의 삶이나 혹은 나수미와 주인공의 얼렁뚱땅의 사랑이 감동적인 것은 아니다. 중요한 것은 90년대 들어 괴물로 부각한 상업주의와 그것에 상대적으로 대비되어 돋보일 수밖에 없는 주인공들의 순수성이다. 90년대의 문화 상업주의를 박상우는 다소 희화적으로 주인공이 쓰고 있는 시나리오에 대비시킨다.

영화제작사가 요구하는 시나리오는 "비극'적'이면서도 희극'적'이고, 포르노'적'이면서도 페미니즘'적'인 영화─요컨대 그게 바로 신생 영화사 시네마타운이 단 하나의 화살로 모조리 명중시키고 싶어 하는 과녁(的)이라는 것"의 실체다. 그것은 한마디로 흥행성이라 할 수 있을 것인데, 이것은 영화만의 문제가 아니라 문학─출판사가 아니라─에까지 그 무소불위의 권력을 휘두르고 있는 것이다. 이 흥행성(상업주의)이 작가들의 의식에까지 침투하지 않았다고 누가 감히 말할 수 있겠는가. 이 소설을 쓴 박상우라고 여기에서 자유롭겠는가.

소설의 주인공인 시나리오 작가가 거듭되는 수정 요구에 결국 굴복하는 사정이고 보면, 애당초 전업 작가를 표방하고 나선 박상우는 오히려 여기에서 더 자유롭지 못할지도 모른다. 그것은 굴욕이겠지만, 그러나 그 굴욕을 드러내는 것이 작가다. 그 굴욕의 반대편에 푸른 하늘처럼 독산동 방이, 그 방의 임자인 나수미가 위치하고 있다. 훔쳐간 돈의 대가로 옷을 홀홀 벗어던지는 그 보잘것없는 여자가 박상우에게 천사인 것도 바로 그 때문이다.

가혹한 산의 형벌이 가져다준 행복한 자아 찾기

이 순정성의 세계를 거쳐 박상우는 〈내 마음의 옥탑방〉에 이르렀다. '옥탑방'은 어떤 곳인가.

그곳은 삼 층 건물의 옥상에 있는 "세월이 흘러도 불이 꺼지지 않는 자그마한 방"이다. 그 방은 기억 속에 있기에 존재의 등불이 되는 방이다. 그 방에는 한 여자가 살고 있었다. 가난에 시달리고 있는 백화점의 안내원 주희. '나'와 주희는 그 폐쇄된 공간에서 사랑을 했다. 하지만 그 방의 입지는 둘이 사랑을 나눈 방이라는 점만 빼면 서로 달랐다. 레포츠 용품 영업 사원이던 '나'에게 그 방은 사장의 닦달과 형수의 몰아세움의 도피처지만, 주희에게 그 방은 절망과 체념의 방이었다. '나'가 그 방에서 백화점 매장의 5층, 사장실의 11층, 형수 집의 17층에서 벗어나 한때나마 위안을 찾았다면, 주희는 '속물스런 지상'으로 내려가기 위해 그 방에서 대기하고 있었다. 나의 현실 도피가 그 방에 머무는 것이었다면, 반대로 주희의 현실 도피는 그 방에서 벗어나는 것이었다.

"낮은 지상의 주민이 되어 편안하게 안주하고 싶어 하는 주희의 꿈"은 현실적으로 보면 도덕적 희생을 담보로 해서만이 가능하다. 주희가 지상으로 내려온다는 것은 타락인 것이다.

만약 〈내 마음의 옥탑방〉이 여기에서 머물렀다면, 이 소설은 타락한 한 여자와의 젊은 날 애틋한 사랑의 추억에 머물렀을 공산이 크다. 그러나 박상우는 이 지점에서 성숙을 감행한다. 그것은 시시포스의 신화를 뒤집어, 인간에 대한 보편적 애정을 발견함으로써 가능해지는 것이다. 박상우의 물음은 인간은 과연 시시포스들인가 하는 것이다. 과연 현대인들은 신의 노여움으로 형벌을 받아 산정으로 끝없이 바위를 밀어 올리는 도로徒勞의 존재들인가? 돌을 밀어 올릴 때마다 "찡그린 얼굴, 바위에 비비대는 뺨, 진흙에 덮인 돌덩이를 멈추려고 버틴 다리, 바위를 받아 안는 팔, 흙투성이의 손"의 존재들인가? 반대로 투지와 의지를 상실해버리고 "관성으로 살아가고, 관성으로 나이가 들고, 관성으로 세상을 견디는 가련한" 존재들이 아닌가. 그래서 작가는 다음과 같이 말한다.

지난 십 년 동안 나는 시시포스들의 세계에 안주하고 있었다. 몽타주로 재현되는 무수한 시시포스들의 세계, 산정을 향해 바위를 밀어 올리는 불굴의 의지를 상실해버린 시시포스들의 세계, 희망 없는 노동을 죄악시하고 도로徒勞를 무능의 결과로 치부해버리는 시시포스들의 세계, 신을 향한 멸시를 두려워하고 운명을 극복하려는 반항적인 분투를 상실해버린 시시포스들의 세계—그곳에 안주하며 하루하루 종말적인 인간의 시간을 살아온 것이었다.

이러한 깨달음은 보편적 혹은 일상적 삶에 대한 애정으로서만이 가능한 것이다. 그렇다면 주희의 존재는 소설 뒤편으로 물러간다. 박상우가 정작 하고 싶은 이야기는 지상의 도로를 미덕으로 삼아 고군분투하는 사람들의 현재적 삶의 가치인 것이다. "인간에 의한 인간을 위한 인간의 멸시가 범람하는 세상"에서 박상우는 인간을 위한 이야기를 들려준 셈이다. 여자는 타락의 지상으로 내려갔지만, 그 타락의 지상에서 인간은 '옥탑방'에 불을 밝히는 노력을 계속해야 한다. 이 도로는 신이 인간에게 내린 형벌이지만, 그 형벌을 수행할 때 비로소 인간의 가치를 발견할 수 있다는 실존주의 철학의 명제를, 박상우는 〈내 마음의 옥탑방〉이라는 소설의 육체를 통해 구체적으로 제시하고 있는 것이다.

    80년대의 정치적 부채 의식에서 출발한 박상우의 소설 세계는 주제와 소설 방법론상의 굴곡을 거쳐 일상적 삶의 가치 발견에까지 이르렀다. 이것을 한 단계의 성숙이라 한다면, 그것은 다만 나이 먹음의 결과는 아닐 터. 정치적 부채 의식과 추상적 유토피아의 세계와 영화적 발상에서 벗어나 현실로 한 걸음 다가선 작가 박상우에게 90년대가 가치 부재와 혼돈의 시대만은 아니었다고, 그것 또한 치열한 삶의 현장이었다고 위로하는 것은, 그에게 시시포스의 형벌이 계속되고 있음을 알려주는 하나의 수사修辭이리라.

몰두하면
사랑하게 된다

소설가 최은미

밤새 소설을 쓴 얼굴

화정도서관에 왔다. 홍규 선배의 수상 소식을 듣고.

3층 종합자료실 창가를 따라 긴 책상이 생겼는데 거기 앉으니 겨울 밭이 보인다. 마른 깻단 사이로 고무 함지가 엎어져 있고 그 위로 커다란 돌들이 올려져 있다. 겨울나무와 낮은 산들이 밭을 감싸고 있는 걸 바라보고 있으니 땅이 지금 쉬고 있다는 걸 금방 알겠다.

등단 무렵인 십 년 전쯤 화정도서관 앞에서 홍규 선배를 만난 적이 있다. 같은 동네에 살아서 선배 책이 나오거나 하면 가끔 봤는데 그때마다 홍규 선배는 '밤새 소설을 쓴 얼굴'로 나타났다. 밤새 일기를 쓴 얼굴도 아니고 밤새 편지를 쓴 얼굴도 아니고 밤새 영화를 보거나 술을 먹거나 시를 쓴 얼굴이 아니라 밤새 소설을 쓴 얼굴.

도서관 앞에서 잠깐 봤던 걸 보면 무언가를 전해 받거나 전해 주려고 본 것 같은데 그게 무엇인지는 기억이 나지 않는다. 다만 선배가 소설 잘 쓰라는 취지의 짧은 인사를 하고는 (그것 말고 또 어떤 인사가 필요할까) 찬바람을 일으키며 일어나 도서관 앞의 짧은 횡단보도를 (빨간불인데도) 휘적휘적 건너가던 뒷모습만은 선명하다. 홍규 선배에 대한 글을 쓰기 위해 홍규 선배에 대한 생각을 하려고 화정도서관에 온 걸 보면 그 모습이 인상 깊게 남아 있었나 보다. 왜일까.

소설이 아니고서는 안 되는 사람

견지동에서 직장 생활을 하고 있을 때 홍규 선배가 사무실에 들른 적이 있다. 선배의 첫 단편소설집과 첫 장편소설을 들고서였다. 석유곤로 위에 물 주전자를 올려놓고 있던 오래된 사무실이었다. 사무실로 들어온 선배는 '이런 데서 일하는구나' 혹은 '여기가 니가 일하는 데구나' 같은 표정으로 텅 빈 사무실을 잠깐 살피고는 회의 탁자에 손님처럼 앉아 나에게 책을 건네주었다. 지금 책을 다시 펼쳐보니 단편집인《사람의 신화》의 면지에는 2005년이라는 사인이, 장편소설인《귀신의 시대》의 면지에는 2007년이라는 사인이 되어 있다. 2년의 시차가 있는데도 나에게 그날은 홍규 선배가 책 두 권을 연이어 내고는 그걸 한꺼번에 전해줬던 어마어마한 날로 기억되어 있다.

그 두 책을 사무실 책꽂이에 오래 꽂아두었다. 책등을 보고 있으면 그 책을 건네줄 때 홍규 선배한테서 느껴지던 상기된 느낌들이 떠올랐다. 소설이 아니고서는 안 되는 어떤 것을 품고 있는 사람이, 역시 소설이 아니고서는 안 되는 어떤 것을 품고 있는 사람에게 책을 건네주던 마음. 오랫동안 써온 소설을 실물로 묶어냈다는 것이 어떤 의미인지를 아는 후배에게 책을 건네주려고 들렀던 선배의 그 마음이 그대로 읽혀졌다.

회식을 하고 술을 좀 먹고 난 날이면 종로구청 계단에 앉아서 가끔 홍규 선배한테 전화를 했던 것 같다. 직장만 그만두면 바로 등단도 하고 엄청난 소설을 쓸 수 있을 것 같은데 내가 여길 계속 다녀야 되냐, 그런 유의 하소연이었을 것이다. 그러면 홍규 선배는 뭐라고 뭐라고 한참 이런저런 얘기를 했는데 도움이 되는 얘기는 아니었다. 원하는 대답을 해준 적이 한 번도 없었던 것 같다. 자기만 소설가로 잘 살겠단 얘기지. 어느 해 봄에 나는 정말로 소설을 쓰겠다는 목적 하나로 직장을 그만두었는데 홍규 선배한테 사표 낸 얘길 했더니 선배가 흠칫 놀랐던 기억이 난다. 역시, 내 생각이 맞았어. 내가 곧 기막힌 소설을 쓸 게 분명하니 위기감을 느낀 거야.

소설 생각이 전부인 사람

홍규 선배를 처음 본 건 1996년 3월이었다. 동아리에 가입하려고 학생회관 3층으로 간 게 입학식 며칠 뒤였으니 3월 초였을 것이다. 동아리방 문을 열자 남자 선배 두 명이 소파에 앉아 담배를 피우고 있었다. 둘 다 인상과 덩치가 비슷했는데 그중 한 명이 홍규 선배였다. 새내기가 왔다며 반기는 순간에도 두 선배는 꽁초가 수북한 재떨이에 연신 가래를 끌어올려 뱉었는데 '문학하는 선배들'에 대한 환상을 품고 강원도에서 막 서울로 온 내가 그날 받았던 충격은 꽤 컸다. 나는 그날 분명 그곳이 오래 있을 곳이 못 된다는 생각을 했고 그 뒤에도 그런 생각이 든 순간이 여러 차례 있었는데도 그곳은 내가 대학 1, 2학년 동안 가장 자주 드나든 곳이 되었다.

첫날과 다르게 막상 낮 시간엔 문학회에서 홍규 선배를 보기가 힘들었다. 선배는 어쩌다가 나타나 설렁설렁 웃고, 실없는 농담을 하고, 짙은 전라도 사투리에 한 문장에 서너 번은 거시기라는 대명사를 섞어 쓰고, 96학번을 아가들 보듯 하는 93학번 선배일 뿐이었다.

그렇게 가끔만 보이는데도 홍규 선배는 문학회에서 살고 있다는 느낌을 주는 선배였다. 실제로 문학회에서 거의 살았던 것도 같다. 아침에 동아리방에 들르면 소파에서 부스스한

머리로 일어나고 있는 홍규 선배를 볼 수 있었다. 전해에 문학회 회장을 할 때의 일화들이 심심치 않게 떠돌아다니기도 했다. 기타를 붙들고 조관우의 늪만 그렇게 불렀다는 얘기, 어떤 소설을 쓰기 위해 지게에 대한 역사만 며칠 동안 팠다는 얘기 같은 것들이었다.

홍규 선배가 전문연 6기 의장을 맡으면서 한총련 일을 하느라 거의 외부에 가 있었다는 건 3월이 지나서 알게 되었다. 그래도 소설 합평회 때는 꼭 나타났다. 내가 소설분과 일을 맡고 나서는 합평회 날에 소설이 없으면 그냥 내 소설을 복사해서 내놓곤 했는데 그러면 선배는 이번 주도 또 니 소설이냐, 하면서도 집중해서 소설을 읽어주었다. 내 소설도 내놓지 못하는 때가 되면 홍규 선배한테 손을 벌렸다. 선배, 이번 주 합평회에 소설 좀. 홍규 선배의 소설은 별로 재미가 없었지만 소설에 대해 하는 말들은 깜짝 놀랄 만큼 재미있었다. 홍규 선배가 합평회에 있는 날은 괜히 든든했고 홍규 선배가 없으면 심심했다.

총학생회장 출신의 80년대 학번 문학회 선배들이 주최하는 크고 작은 행사 뒤풀이 때면 여전히 동아리에 자주 들렀다. 96년은 90년대 초반 학번 선배들이 막 복학을 하기 시작한 해이기도 했다. 다른 동아리의 90년대 중반 학번 집행부

들이 선배들과 겨뤄가며 여러 면에서 변화를 꾀하고 있을 때
도 문학회는 그 이전 세대의 문화가 어느 곳보다 짙게 남아
강하게 유지되고 있는 곳이었다. 96학번은 여러 풍랑을 몸으
로 겪었던 거의 마지막 학번이었던 것 같은데 우리 학번과 너
무 가깝지도 멀지도 않은 곳에 홍규 선배가 있었다.

　홍규 선배가 그 시기를 어떤 생각을 가지고 어떻게 통과
해갔는지 얘기를 나누어본 적은 없다. 노수석의 죽음을 빼
고, 한여름의 연세대를 빼고 96년을 돌아보긴 힘들다. 그 이
후에 우리를 덮쳐왔던 엄청난 좌절감에 대해서, 홍규 선배한
테 또한 그해가 얼마나 중요했는지에 대해서, 선배가 그때를
쓰려고 했고 써왔다는 것에 대해서, 선배의 소설을 통해 알
뿐이다.

　'그는 어떻게 목격의 고통을 견뎠을까.'(《마르께스주의자의
사전》)

　소설분과 일이 끝나고부터 나는 문학회에 자주 나가지 않
았다. 홍규 선배는 연대 항쟁 이후 수배를 당하다 구속이 되
었고 출소 후에는 군대를 갔다. 한동안 못 보던 선배를 오랜
만에 보게 된 건 선배가 우리 동네에서 군 생활을 하고 있을

때였다. 따뜻한 전라도에서 살던 선배가 세상 추운 우리 동네에서 군 생활을 하고 있다고 해서 동네 산책하는 마음으로 면회를 갔는데 동송 우리 집에서 선배가 있던 와수리 3사단까지는 같은 철원이라도 생각보다 거리가 꽤 됐다.

방학이라 집에 가 있었을 때였고 신춘문예 당선 소설들이 실린 신문들과 출간된 지 얼마 안 된 한강의 《검은 사슴》을 들고 갔던 걸 보면 99년 초쯤이 아니었나 싶다. 그땐 남동생들도 군대에 가기 전이라 누군가를 면회 간 게 처음이었다. 홍규 선배는 너무도 너무도 소설 얘기를 하고 싶어 했다. 내가 어떤 소설을 쓰고 있는지, 어떤 소설을 읽고 있는지부터 자신이 구상 중인 소설 얘기, 전역을 하면 어떤 소설을 쓸 것인지까지, 온통 소설 생각으로 꽉 차 있었다. 그리고 노래를 오래 부르고 싶어 했다. 선배가 노래를 부르기 시작한 지 40분이 지나고부터 나는 노래방 기계의 남은 시간을 보기 시작했는데 시간이 다 되면 주인이 10분을 더 넣어주고, 10분이 지나면 다시 10분을 더 넣어주고, 또 10분을 넣어주고. 그때 정말 힘들었다.

군인이란 대체 뭘까. 나무만큼이나 내내 봐온 게 군인들이었지만 그들을 개인으로 보게 되고 그들의 머릿속을 생각해보게 된 건 홍규 선배 면회 이후였던 것 같다.

선배는 학교 졸업 무렵 등단을 했다. 내가 막 직장 생활을 시작했을 때였다.

몰두하면 사랑하게 된다

사무실 책꽂이에 꽂혀 있던 선배의 책들을 펼쳐 간간이 작가의 말을 찾아 읽었다. 첫 소설집을 낸 10년 뒤에 선배는 산문집을 하나 냈다. 메르스가 막 돌기 시작하던 무렵이었는데 아이와 둘이 집에 있다가 화정 시내의 '이디야커피'에서 선배를 만났다. 엄마 닮았나 보구나. 마스크를 하고 옆에 앉아 책을 보고 있는 아이에게 선배가 말했다. 그러면서 아직 한참 어린 선배 아이의 밥투정에 대해서 이런저런 얘기를 했던 것 같다. 홍규 선배 아이의 이름은 손지다. 사진으로만 봤지만 나는 그 아이가 얼마나 예쁜지 알고 있다. 놀라울 정도로 예쁘다. 아이를 낳은 뒤 홍규 선배는 새해 인사 문자에 이런 말을 쓰기도 한다. '단단하고 예쁜 글 많이 써라.' 아이의 눈을 보다 보면 예쁜 글이라는 말의 의미를 알게 된다. 나는 오랫동안 예쁜 글을 쓰지 못했다. 하지만 홍규 선배는 내내 예쁜 글을 써왔던 것 같다. 선배의 글을 읽다 보면 선배가 오래전부터 어떤 흔들림도 없이 사람을 믿어왔다는 생각이 든다. 안 지 오래되었지만 소설을 읽을 때마다 홍규 선배를 새롭게 알아가는 것 같은 느낌도 여전하다. 대학 때는 재미가 없었는데, 이제 나는 홍규 선배의 문장들을 밑줄을 그으면서 읽는다. 이렇게 깊은 시선과 문장을 가지게 되기까지 그간의 시간들을 짐작해보면서.

《다정한 편견》이라는 제목의 산문집을 건네주고 선배는 덕양구청 쪽으로 휘적휘적 걸어갔다. 예전에 화정도서관에서처럼. 그러고 보면 지난 이십 년간 나는 어딘가로 바삐 걸어가는 홍규 선배의 뒷모습을 짧게 짧게 계속 봐왔던 것 같다. 선배는 사람들 앞에서는 늘 뜨거운 쪽이었지만 혼자 반대쪽 지하도로 내려가거나 횡단보도를 건너는 뒷모습에서는 차갑게 응축된 무엇인가가 느껴졌다. 무섭도록 읽고, 묵묵히 써온 시간들은 어쩌면 그 뒷모습 어디쯤에 고여 있는지도 모르겠다.

'몰두하면 사랑하게 된다.' 산문집에 있는 그 말을 읽으며 문학회 방을 생각했다. '사람의 재능이란 무언가에 골몰할 수 있음을 뜻하는' 거라면 그때 우리는 얼마나 재능이 폭발했었는지. 손홍규 소설의 시원이 노령산맥이라면(김형중) 손홍규 소설의 가슴은 그 문학회 방이 아닐까. 거기서 시작된 '우리의 사연은 이렇다'.

'소설은 온기가 남은 아궁이와 같아 그 앞에 쭈그리고 앉은 사람은 언제나 손바닥을 앞을 향해 내보인다. 손바닥에 와 닿아 일렁이는 부드러움. 사람의 숨결이다.'《그 남자의 가출》,〈작가의 말〉)

선배, 와수리 3사단 앞에서 했던 얘기를 기억하는지. 그때 쓰고 싶다고 했던 그 소설, 선배가 언젠가는 꼭 쓸 거라고 했던 그 소설, 그 소설을 아직 쓰지 않았다는 거 압니다. 어쩌면 완성을 못했을 뿐 그때부터 지금까지 계속 쓰고 있다는 것도 압니다. 기다릴게요. 선배가 그 소설을 책으로 묶어 건네줄 날을. 누구보다 기쁜 마음으로 축하를 전합니다.

이상문학상
대상 작가를
말한다

신경숙을 말한다

'시작'되지 않는 신경숙론의 '시작'을 위하여

문학평론가 우찬제

왜 그랬을까. 도대체 어쩌자고 그런 약속을 했을까. 시간도 없었으려니와, 작가 개인에 대한 이야기를 중심으로 한 편의 글을 쓰는 일은, 적어도 내게 있어 무리한 일이거나 무모한 일이라는 사실을 잘 알고 있었으면서도, 그런 약속을 하다니. 지금 생각해봐도 모를 일이다.

지난주 토요일 오후였다. 문학사상에서 원고 청탁이 왔다. 신경숙 씨가 이상문학상 대상을 수상하게 되었는데, 일주일 안에 작가론을 써달라는 부탁이었다. 부탁하는 쪽의 말투가 참으로 어지간했다. 그 간곡함 때문이었을까. 보통의 경우라면 그 자리에서 못 쓴다고 했을 텐데, 그날은 그리 되지 못했다. 우선 한 시간만 생각할 여유를 달라고 했다. 말미를 얻은 한 시간 동안 생각해보았지만, 도무지 자신이 서지 않았다. 남은 일주일 중 이런저런 예정으로 강제된 날이 무려 닷새나 되었다. 아무래도 안 되겠다 싶었다. 그럼에도 저쪽에서는 좀처럼 물러설 기미가 보이지 않았다. 더구나 내가 그 전화를 다시 받은 곳은 병원이었다. 열흘 전쯤 내린 대설로 거리가 온통 꽁꽁 얼어붙자 불가피하게 교통사고가 급증했는데, 내 가족 한 명도 그 피해자였다. 문병을 가기로 되어 있었던 것이다. 말을 오래 하기도 그렇고, 또 이런저런 생각 때문에 그냥 응하고 말았다. 그게 사단이었다. 잠시 후 다시 전화가 왔다. 작가의 문학 세계를 리뷰하고 구조화하는 작가론이 아니라, 작가의 개인적 이야기를 중심으로 글을 써달라는 것이었다. 한번 약속을 한 터수라 우선 그러마했다. 소설처럼 쉽게 쓰면 되겠네요, 그랬다. 그 말이 화근이었다. 소설처럼 쉽게, 라니. 어디로 보나 그게 될성부른 말인가.

어쨌든 글을 준비해야 했는데, 막상 글감을 정리하다 보니 참으로 난감했다. 그도 그럴 것이 신경숙 씨 개인에 대해 그리 아는 게 없다는 생각이 들게 된 것이다. 지난 10여 년 동안 이런저런 자리에서 만나긴 했었지만, 특별히 인간 신경숙을 안다고 말할 처지가 못 된다는 뒤늦은 후회가 든 것은 이미 며칠이 지난 후였다. 이제 와서 못 쓴다고 발을 뺄 수도 없는 노릇이었다. 이 궁리, 저 궁리…… 그 많은 궁리들에 기대했지만, 결국 그들도 내가 써야 할 신경숙들을 불러내지 못하는 눈치였다. 문득 "말해질 수 없는 것들"을 겨우 말하기 위하여"라고 적어본다. 신경숙 씨가 그러기 위해 애썼을 것 같았다. 그렇지만 막상 적고 보니 그 말의 주어 자리에 신경숙 씨가 아니라 내가 들어선다 한들 그리 틀리지 않을 것 같은 생각도 들었다. 시간이 또 흐른다. 결국 약속 시간이 지났다. 문학사상에서는 하루 더 시간을 주겠다고 한다. 더 이상 시간이 없다. 마음은 더 조급해진다. '여전히 시작되지 않는 신경숙론의 시작을 위하여' 나는 무엇을 어떻게 할 수 있을 것인가. 참으로 난감한 일이 아닐 수 없다.

우선 이렇게 시작해보는 게 어떨까.

'신경숙은 우리 시대의 스타일리스트다. 신경숙 문체, 신경숙 신드롬이라는 말이 두루 쓰일 정도로 그녀의 문체는 매우 독특하다. 마치 스스로 자기 중력에 의해 떠 있는 항성처럼 문체만으로도 충분히 문학적 평판을 얻을 수 있는 작품들이 있는 법인데, 신경숙의 소설들이 꼭 그러하다.'

남들도 다 하는 얘기라서 좀 그렇다. 그러나 그러그러한 시작에 이어 신경숙 씨가 자신의 문체를 만들기 위해서 얼마나 각고의 노력을 했던가 하는 얘기나, 그 문체가 1990년대 이후의 문학에 미친 영향 등을 꿰어서 얘기할 수는 있겠다. 가령 소설 필사에 관한 얘기 같은 것 말이다. 소설가가 되겠다고 서울예전 문예창작과에 입학했으나 그녀는 제대로 적응하지 못하다가 여름방학에 고향 정읍으로 내려간다. 거기서 들쭉날쭉으로 소설을 읽는다. 서정인 선생의 〈강〉을 읽던 중 그녀는 그 작품을 그대로 옮겨 써보고 싶은 충동에서 만년필에 잉크를 채워 한 자 한 자 옮겨 적기 시작한다. '"눈이 내리는군요." 버스 안, 창 쪽으로 앉은 사나이는 얼굴빛이 창백하다. 실팍한 검정 외투 속에 고개를 웅크리고 있다. ……' 그것을 시작으로 "최인훈의 웃음소리, 김승옥의 무진기행, 이제하의 태평양, 오정희의 중국인거리, 이청준의 눈길, 윤흥길의 장마, 최창학의 창, 강호무의 화류항사……"(〈필사로 보낸 여름방학〉,《아름다운 그늘》) 등을 필사한다. 그러면서 "소설 밑바닥에 흐르고 있는 양감을 훨씬 더 세밀히 느낄 수 있었"고, 그렇게 여름방학을 보내고 필사한 노트들을 마치 자신이 쓴 작품인 양 가방에 넣고 서울로 돌아오면서 "내 삶을 소설가로서 살아가리라" 다짐한다.

이런 얘기들을 엮어낼 수도 있을지 모르겠다. 그런데 그것 말고 더 신경숙적인 글감이 없을까. 특별히 더 신경숙적인 소재!

궁리가 막힌다. 그렇다면 가장 평범한 시작을 택하면 어떨

까.

　'신경숙은 1963년 정읍에서 태어나 영등포여고를 거쳐 서울예전 문예창작과를 졸업했다. 1985년 중편 〈겨울우화〉로 《문예중앙》 신인상을 받고 작품 활동을 시작한 이래, 작품집 《겨울우화》(1991) 《풍금이 있던 자리》(1993) 《오래전 집을 떠날 때》(1996) 《딸기밭》(2000), 장편소설 《깊은 슬픔》(1994) 《외딴 방》(1995) 《기차는 7시에 떠나네》(1999), 산문집 《아름다운 그늘》(1995)을 펴냈다. 한국일보문학상, 오늘의 젊은 예술가상, 현대문학상, 동인문학상, 만해문학상, 21세기문학상 등을 연이어 수상한 신경숙은 이미 대중들에게도 폭넓은 평판과 사랑을 받는 작가다. 그리고 이번엔 이상문학상이다.'

　책날개만 보면 누구라도 쉽게 확인할 수 있는 사실들로 시작하는 것은 참으로 우습기도 하거니와, 내 스타일도 아니다. 다른 궁리를 불러낸다.

다시 원점으로 돌아가 비슷하게 다시 써본다.

　"'글을 쓰는 일이란 이미 누군가에게 잊혀졌거나 누군가를 잊어본 마음 연약한 자가 의지하는 마지막 보루 같다는 생각"을 피력한 바 있는 신경숙의 소설은 대개 읽는 이로 하여금 아스라한 그리움과 슬픔의 정조를 환기시킨다. 다가설 수 없는 그리움이거나 이루어지지 못하는 사랑을 그녀는 매우 독특한 문체로 표현한다. 때문에 그녀의 문체는 말해질 수 없는 것들을 말하고자, 혹은 다가설 수 없는 것들에 다가서고자 하는 소망으로 예민하게 긴장하고 있는 감각의 음표들이다. 그 음표들은 서정 본연의 정취로 가득한 작가의 내면을 섬세하게 연주하게 하며, 나아가 사물의 가슴속 깊은 그늘까지 응시하게 해준다. 겨우 존재하는 것들의 힘겨움, 이루어지지 않은 것들의 안타까움, 힘겹게 버티는 생명의 숨결, 혹은 뜨거운 열망의 언어 등등이 어우러진 독특한 오케스트라를 연출한다. 신경숙은 문체를 통해 자기동일성의 상실과 회복에 관한 이야기들을 되풀이 들려주면서, 스스로도 잃어버린 자기동일성을 되찾아가는 간절한 여행을 계속한다.'

여전히 남의 말들이 섞여든다. 게다가 이렇게 시작하다 보면 내가 생각하는 작가론으로 갈 수는 있어도, 문학사상에서 주문한 작가론과는 다른 글로 갈 것 같은 예감이다. 다시 머뭇거릴 수밖에 없다.

다시, 이런 시작은 어떨까.

'90년대 초반의 어느 겨울날이었던 것 같다. 구효서, 박상우, 이순원 등 일군의 이른바 90년대 작가들과 함께했던 자리에서 신경숙 씨를 처음 만났던 것으로 기억된다. 이모집이었던가. 아니면 인사동에 있는 다른 술집에서였던가. 많은 이들이 뜨거운 문학적 열정을 내비쳤고, 목소리들이 컸다. 그렇지만 신경숙 씨는 간혹 피시식 따라 웃거나 "그저 그렇지요, 뭐" 이런 식으로 말을 아끼고 있었다. 수더분한 차림에 조용한 사람. 첫 소설집《겨울우화》에서 확인할 수 있었듯, 그녀는 어김없이 진정한 촌사람이었다. 촌사람이 촌사람을 알아보는 법이다.

그로부터 얼마나 지났을까. 아마도 1993년 가을 무렵이었으리라. 두 번째 소설집《풍금이 있던 자리》로 문학적 평판을 얻고 화제 작가로 부상하던 때였을 것이다. 어느 날 오전 우연히 차 안에서 신경숙 씨가 전화로 인터뷰하는 방송을 듣게 되었다. 그때 그녀의 말투라니. 막 선잠에서 깨어난 시골 아낙이 마지못해 대답을 하고 있는 형국이었다. "글쎄, 그게, 그러니까, ……" 아슬아슬했다. 자신이 소설로 빚어낸 감각적 문체와 얼마나 먼 거리에 있는 말투든지. 그런데, 그런데 말이다. 그렇게 어눌하게 더듬거리면서도 끝내는 자신이 해야할 얘기는 다 하고 있었다. 참으로 경이로운 장면이 아닐 수 없었다.

순간 나는 그녀의 인간과 문학과 관련된 이항대립 항들을 뽑아냈다. '촌스러움/세련됨, 어눌함/유려함, 말하지 않음/말함, 드러내지 않음(숨김)/드러냄, ……' 상대적으로 보면 앞의 항들이 신경숙 씨 개인의 성격을 닮았다면, 뒤의 항들은 그녀의 문학적 성격에 가깝다. 그러나 꼭 그렇게 말할 수 있는 것은 아니다. 신경숙 문학이 지닌 중의적 복합적 내포를 고려한다면, 그녀 또한 위의 항들을 복합적 내포로 지니고 있지 않을까. 서로 대립되는 양 항들을 넘나들면서 혹은 뒤섞으면서 살고 글쓰기를 하고 있는 게 아닐까. 혹은 그녀 자신의 촌스러움을 문학적으로 승화하기 위해 세련된 문체를 구사하고 있는 것은 아닐까. 콤플렉스의 승화? 웬 사이비 프로이트주의? 꼭 그럴 것 같진 않다. 신경숙 씨가 다루고 있는 소설의 내용 종목을 보면, 흔히 말하는 대로 '말해질 수 없는 것'들을 겨우 말하고 있는 형국이니까 말이다. 이런 생각들을 저작하면서 작가 신경숙 씨에 대한 모종의 탐구심을 키운 게 사실이다.

그리고 며칠 후, 동인문학상 시상식장에서였다. 아마도 기억이 정확하다면 〈회색 눈사람〉으로 최윤 씨가 수상하던 날이었을 터다. 수상 작가와 개인적 친분도 친분이려니와 수상 작가의 문학 세계를 리뷰한 인연으로 그 자리에 참석했는데, 거기서 다시 신경숙 씨를 만났다. 그런데 그녀를 보자마자 내 입에서 튀어나온 말은 참으로 촌스럽기 짝이 없는 소리였다.

"신경숙 씨, 어쩌면 그렇게 촌스러우세요?" 돌연 놀라는(화나는?) 빛을 감추느라 애쓰는 그녀. 그럼에도 송아지같이 천진한 그녀의 눈빛은 많이 놀란 표정이다. 그러고 보니 너무 심했다는 생각이 든, 역시 촌스러운 나. "며칠 전에 방송 인터뷰를 들었거든요." "아, 예에." 좀 심했다는 미안기를 덜기 위해 내가 에둘러 촌스러움의 미덕을 설명했던가, 어쨌던가. ……'

문학사상의 편집자는 혹 이런 글을 원한 것이었을까. 그렇다면 내친 김에 그 이후의 몇몇 만남들에서 있었던 에피소드들을 엮다가 작년 일본 아오모리에서 있었던 한일 작가 심포지엄에 함께 참석했던 이야기 등을 덧붙여 마무리해볼까, 하는 생각도 든다. 그러나 그 에피소드들이라는 게 그다지 신통해 보이지 않는다. 아니면 나의 기억력이 신통치 않거나. 그렇다면 또 어떻게 한다?

달리 가보자. 내가 아는 게 많지 않다면, 남들을 통해서 가보는 거다. 남들이 말하는 신경숙 씨의 인간과 문학에 대해 편집자적으로 정리하는 글을 쓸 수는 없을까. 예컨대 이런 식은 어떨까.

'많은 이들이 신경숙과 그의 문학에 대해 말해왔다. 살펴보면 다음과 같다.

(1) 주변부적 사건들을 엮어가는 그의 이야기꾼적 기질, 즉 방법적 기교는 매우 탁월하다. 침착한 문체, 현미경적인 관찰 능력, 현실과 과거가 교직되는 구도 등 이야기꾼으로서 그가 보여준 자질에 우리는 믿음을 가질 수 있다 (정효구, 〈인간의 운명과 불가항력적인 힘〉, 신경숙, 《겨울우화》해설).

(2) 신경숙의 소설들이 보여주는 세계는 현재와 과거의 시간들을 씨실 날실로 하여 짜인 삶의 아련한 무늬들로 이루어진 세계다. 무늬에서 무늬로 옮겨가는 삶, 다만 고통으로 무너져 내렸던 시간의 흔적들만을 묻혀 가지고 있는 삶은 역동적인 현재형의 삶이 아니다. 삶이 하나의 무늬로 남기 위해서 필요한 심리적 거리, 그것은 바로 삶이 추억으로 건너가기 위한 거리에 다름 아니다. 신경숙의 소설들이 지니고 있는 독특한 아우라는 그 심리적 거리가 만들어내는 삶의 내면화된 잔상들로부터 온다 (박혜경, 〈추억, 끝없이 바스라지는 무늬의 삶〉, 신경숙, 《풍금이 있던 자리》해설).

(3) 신경숙 소설의 가장 소중한 몫은 그 나지막한 몸가짐과 나지막한 어조에 있다. 사소한 것들, 미미한 것들의 결코 사소하지 않음을 그는 그 나지막한 목소리로 얼마나

간곡하게 말하고 있는 것인가. 목숨의 미세한 기척과 기미들에 그의 몸은 떨린다. 그의 소설에 등장하는 몸짓과 표정과 음식들, 사소한 소품들에는 어김없이 후광과도 같은 삶의 애환이 드리워져 있고 그 그늘들은 그의 섬세한 감각과 언어능력을 빌려 특유의 문체로 소생한다(신경숙의《오래전 집을 떠날 때》뒤표지에 실린 김사인의 글).

(4) 신경숙의 소설은 이 세계의 슬픈 아름다움을 실현하고 있다. 짧은 서사에 긴 정감으로 싸안고 있는 그의 작품들이 품은 이 슬픈 아름다움은 그래서 이중의 꿈을 담고 있다. 이 세상의 질펀한 존재의 괴리들과 삶의 끊임없는 위태로움을 안고 있는 이 세계에 그래도 남아 있을 아름다운 것들을 위한 꿈, 그리고 이 모든 것들이 슬퍼서, 그것들을 아름다운 것으로 받아들이기 위한 꿈이다. 그것이 그의 작품을 시로, 에세이로 읽히게도 하고 고향의 정서로 흙과 낟가리 향기에 취하게 함으로써 우리로 하여금 '본질에 닿게' 만든다. 이런 상상력의 세계는 오늘의 우리에게 더욱 귀중하다. 그것은 가볍고 도시적이며 이른바 현대적인 것들의 풍경들을 헤집고, 삶의 본원과 본연의 깊이로 감동시키기 때문이고, 속도와 우연의 세계 속에서 그래도 우리로 하여금 사랑과 연민의 근본

을 깨닫게 하며 슬픔이야말로 세계를 아름답게 살아가는 방식임을 가르쳐주기 때문이다. 신경숙은, 그리고 그의 작품들은, 그래서 슬프고, 또 그래서, 아름답다(김병익, 〈존재의 괴리, 그 슬픈 아름다움〉, 신경숙, 《딸기밭》 해설).

(5) ……

(6) ……'

이런 식으로 계속 나열하고 편집한다? 포스트모던하게 보일까? 독자들에게 정보를 제공하는 서비스는 될 것 같다. 그러나 내 스타일은 아니다. 다른 곳에서 시작해야 한다. 다시…….

서발序跋 비평이라는 게 있었다. 작가 서문에 밀착해서 글을 써보면 어떨까.

'첫 소설집 《겨울우화》의 '작가의 말'에서 신경숙은 이렇게 적었다. "나 아니면 누구도 거들떠보지 않을 개인적인 추락들을 바라보며 한없는 무망에 빠져 소설이라고 쓰면서, 내 소설들이 자연, 미학, 실천, 그 어느 울림도 되지 못하고, 무엇보다도 희망이 되지 못해서 늘 마음에 걸렸다. 여전히 그런 마음으로 책으로까지 묶는다. 나는 이 슬픈 꼴을 버리고 다른 사유를 원한다." 이런 작가의 생각은 비교적 오래 지속된 것으로 보인다. 그러다가 예의 걸린 마음을 넘어서 새롭게 운명을 헤쳐 나가려는 생각으로 나아간다. 《오래전 집을 떠날 때》의 '작가의 말'을 보자. "제게 소설은 보이는 것과 보이지 않는 것을 헤치고 나가 언젠가는 제 존재의 빛을 보게 해주리라 믿는 것입니다. 당신이나 저나 그 빛을 보게 되는 때가 너무 늦지 않길 바라지만, 아주 늦어도 괜찮은 일이라고 생각합니다. 제 빛을 본 사람과 보지 못한 사람은 다를 테니까요. 또 약속하려 합니다. 현실과 상상력이 지닌 운명을 헤치고 나가서 먼저 저를 보고 꼭 당신에게 가겠다고." 이런 '작가의 말'의 유로가 인상적이다. 그 유로를 따라가다 보면 우리는 작가 신경숙의 진경을 헤아릴 수 있게 될지도 모른다.' 이렇게 가도 괜찮을 것 같은 느낌이 들기도 하지만, 좀 딱딱해질 가능성도 있겠다.

자전적 요소를 많이 지니고 있는 소설들이 있다. 〈모여 있는 불빛〉이나 《외딴 방》 등 여럿을 꼽을 수 있다. 그런 요소들을 사려 깊게 뽑아내 작가의 인간적 측면을 재구성해보면 어떨까.

"내 소설이 무언가를 변화시킬 힘이 있다고는 생각하지 않는다, 내게 있어 소설이란 우선 나 자신을 견디게 해주는 것이다, 내 마음속에 기른 헛것들을 더 이상 가두어놓을 수가 없어 문장으로 풀어내고 있을 때, 그때만 불투명한 미래에 대한 불안을 잊는다, 고"(〈모여 있는 불빛〉,《오래전 집을 떠날 때》). 신경숙은 소설에 대해 이런 말을 하는 작가다. 이미 첫 소설집의 '작가의 말'에서부터 그런 말을 해왔다. 무언가를 변화시킬 힘은 가지고 있지 못하지만, 무엇보다 자신을 견디게 해주는 것을 소설이라고 생각하는 그녀의 생각은 어디에서 연원된 것일까. 이 작가의 작품에는 비록 3인칭의 경우라고 하더라도 작가 자신을 연상케 하는 인물들이 많이 나온다. 그들의 행위와 사고를 가로질러 재구성해보면서 작가 신경숙의 인간과 문학에 대한 몇 가지 단상을 추슬러 볼 수 있겠다.'

가능성 있는 추론이지만, 그 과정에서 명징한 자전적 논거를 확보하기 위해서는 많은 세부 사항들을 신경숙 씨에게서 확인해볼 필요가 있다. 그렇지만 시간이 없다. 진작 확인해둘걸, 하는 뒤늦은 후회가 든다.

소설 텍스트가 기본적으로 간접성의 형식이라면, 에세이는 직접성의 형식이다. 그러니 산문에서 추론하면 비교적 쉽지 않을까.

'작가 신경숙의 산문집《아름다운 그늘》에서 가장 인상적이었던 대목을 인용하는 것으로, 이 글을 시작하고자 한다.

"내가 살아보려 했으나 마음 붙이지 못한 헤어짐들, 슬픔들, 아름다움들, 사라져버린 것들, 과학적 접근으로는 닿지 못할 논리 밖의 세계들, 말해질 수 없는 것들, 그런 것들. 이미 삶이 찌그러져버렸거나, 아무도 알아주지 않는 익명의 존재들에게 생기를 불어넣어주고 싶은 욕망, 도처에 어른거리는 죽음의 그림자나, 시간 앞에 무력하기만 한 사랑, 불가능한 것에 대한 매달림, 여기 없는 것에 대한 그리움…… 이 말해질 수 없는 것들을 내 글쓰기로 재현해내고 싶은 꿈. 이미 사라지고 없는 것들을 불러와 유연하게 본질에 닿게 하고 자연의 냄새에 잠기게 하고 싶은 꿈. 그렇게 해서 이 순간을 영원히 가둬놓고 싶은 실현 불가능한 꿈."(〈말해질 수 없는 것들〉,《아름다운 그늘》)'

이런 신경숙 씨의 기본적 입장을 분석하는 것에서 시작하여, 소설의 실제에서 확인하는 작업으로 이어간다? "나는 이따금 다른 사람들은 삶 속에서 돌연히 발생하는 부재나 돌연한 사별을 어떤 방식으로 받아들이는지가 궁금하다. (중략) 가까웠던 사람이 멀어져가는 걸 감당하는 일이 내겐 매번 힘겹다. 때로는 이제 내겐 가까웠던 사람과 작별할 사람과 작별할 힘이 전혀 남아 있지 않다는 느낌도 든다. 그런데도 이렇게 또 살아지는 걸 보면 삶이 무섭기조차 하다."(〈마당에 관한 짧은 얘기〉,《오래전 집을 떠날 때》) 같은 부분의 본문을 인용하고 해설하면서? 문학사상 편집자의 전언을 떠올리니, 다른 평론가에게 청탁했다는 글과 유사한 성격이 될 것 같은 느낌이 든다. 이렇게 자유롭지 못해서야, 거, 참…….

신경숙 씨의 소설 중에서 나는 《외딴 방》을 가장 좋아한다.

예전에 이렇게 쓴 적이 있다. "외딴 방에서의 많은 삶들은 바로 슬픈 상처들의 겹무늬였다. 그중에서도 특히 희재 언니의 죽음은 결정적인 상처였다. 하고 보면 외딴 방에서의 통과제의란 곧 몸과 마음에 상처의 퇴적층을 쌓아 올리는 것과 한가지였는지도 모른다. 상처가 통과제의의 요체였다는 사실은 통과제의 이후의 결과, 즉 그녀의 문학이 상처의 얼룩 위에 축성된 것이라는 사실을 암시한다. 다시 말해 현실에서는 치유되지 않는 상처들이 문학에서 새로운 삶을 도모하게 된 형국이라는 것이다. 여기서 우리는 상처의 두 가지 방향에 대해 생각해볼 필요를 느낀다. 하나는 우물 쪽으로 향한 상처의 운동이다. 이는 다시 두 갈래로 나뉜다. 우물의 자기 충족적이고 근원적인 생생력을 향한 상처의 심리적 운동과 우물의 차단된 심연 혹은 자폐적인 속성을 향한 운동이 바로 그것이다. 앞의 경우라면《깊은 슬픔》에서의 '이슬어지' 같은 낭만적 충족 공간을 탄생시킨다. 뒤의 경우에는 다가설 수 없는 아스라한 그리움이거나 나르시시즘, 감상적인 자폐의 정조 등으로 귀결된다. 지금까지 신경숙의 문학은 대부분 이 둘 사이의 거리와 갈등의 구조화 선상에 있었다고 말해도 좋으리라.

또 다른 하나는 백로의 꿈을 향한 근원적 열망이다. 외딴 방으로의 입사 이전부터 간직했던 백로의 꿈은 작가가 상처를 받으면 받을수록 절망스러우면 절망스러울수록 더더욱 추구하고자 했던 열망이었다. 이 열망이 상처의 삶을 견디게 했고, 또 여리지만 견고한 상처의 문학을 잉태하게 만들지 않았을까. 바로 "잊지 않고 있으면 할 수 있어. 꿈을 잊으면 그걸로 끝이야. 언제나 꿈 가까이로 가려는 마음을 거두지 않으면 할 수 있어. 가고 또 가면 언젠가는 그 숲속에 갈 수 있을 거야"(2권, p. 63)와 같은 영혼으로 어둠을 뚫고, "……시여 제발 여기로 와다오. 저것들…… 드릴…… 해머…… 소리들을 가볍게 넘어서…… 서사의 안팎을 잃어버리고 짓이겨지는 내게로"(2권, p. 121)와 같은 열망으로 세상을 견디었을 때, 그 끝닿은 자리에서 자신의 문학을 축성할 수 있지 않았을까. 요컨대 상처의 두 가지 방향 중 백로의 꿈으로 향한 심리적 움직임은 작가 신경숙으로 하여금 문학으로 세상을 견디게 하는 근원적인 열망이며, 우물 쪽으로 향한 운동은 그 같은 열망이 현실과 맞씨름하면서 탄생시킨 신경숙 문학의 구체적인 내용과 경향을 조타하는 것이라 할 수 있겠다. 지금까지의 신경숙 문학에서는 주로 우물과 관련된 내용만을 우리가 알 수 있었는데, '글쓰기의 글쓰기'를 시도한 이번 작품에서 우리는 신경숙의 '우물 문학'을 탄생시키면서 동시에 그것과 길항관계에 놓여 있는 '백로의 꿈'을 여실하게 실감할 수 있게 되었다."(졸고, 〈드러내면서 감추기〉,《타자의 목소리》) 이때 설정했던 구도를 입증하는 글을 한번 다시 써볼까? 그러나 앞에서 고민했던 이유들이 또 내 길을 막는다. 정녕 시작할 길은 없는 것일까?

아니면,

'신경숙 하면 흔히 상처의 문학, 징후의 문학을 떠올린다. 아픈 현실의 상처를 보듬으면서 나날의 삶에서 미세한 징후들을 들추어내고, 그러면서 새로운 '존재의 빛'을 보게 되기를 그녀는 소망하는 것 같다. 이를테면, 그녀가 보고 싶어 하는 '존재의 빛'의 장면들은 이런 것들이다.

(1) "이 글을 당신께, 이미 거기 계시는 당신께 부칠 필욘 이제 없겠지요. 그래도…… 까치, 까치 얘기는 쓰렵니다.

이 마을에 온 첫날 그렇게 부지런히 둥지를 틀던 까치가 새끼 세 마리를 낳았더군요. 옥수수 씨를 심을 구덩이를 파느라고 산밭에 다녀오다가 봤어요. 먼발치라 자세히는 못 봤지만, 그중 어느 새끼도 눈먼 새는 없는 듯했어요. 세 마리 모두 다 어미가 먹이를 물어오니까 서로 밀치며 소란스럽게 한껏 입을 벌리는데, 입 속이 온통 빨강…… 새빨갰어요. 그 새끼 까치들이 날갯짓을 할 무렵이면 이곳도, 여기 이 고장에도 초여름, 여름……이겠지요. 저기 저 순한 연두색이 짙어, 짙어져서는 초록이, 진초록이…… 될 테지요. 그때쯤엔, 은선이라는 당신 아이 이름도 제 가슴에서 아련해질는지, 안녕."(〈풍금이 있던 자리〉,《풍금이 있던 자리》)

(2) "병원 담장을 에워싸고 있는 개나리에 움이 트고 있는 걸 보았습니다. 하늘은 눈을 뿌리고 있는데 아랑곳없이 나무는 움을 틔우고 있더군요. 한 개 한 개의 움은 곧 터질 듯이 부풀어 있었어요."(〈지금 우리 곁에 누가 있는 걸까요〉,《딸기밭》)

(1)에서 까치 새끼의 탄생이나 성장, 그리고 순한 연두색에서 초록을 거쳐 진초록으로 자라나는 자연의 생명 현상, (2)에서의 개나리 '움' 같은 것들에 자연스럽게 우리의 눈길이

머문다. 바로 작가 신경숙의 눈길이 머물던 자리다.'

이렇게 시작하여 신경숙 씨 나름대로 '존재의 빛'을 응시하는 이유와 방식을 밝혀본다? 어쩌면 신경숙 소설 거꾸로 읽기?

다시, 앞에서 했던 방식으로 시작할까. 이번에는 서사적 역전 방식으로. 가장 최근의 에피소드부터 시작해보는 거다.

'12월은 확실히 바쁜 달이다. 한 해를 마무리하느라 모두가 부산하게 움직인다. 일 때문에 바쁘기도 하고, 송년회 때문에 다 바쁘기도 하다. 문학하는 이들도 특히 12월에는 바쁘다. 대표적으로는 신춘문예 때문이다. 12월 10일경까지는 문학청년들이 탈고하고 응모하느라 바쁘다. 일단 마감이 되면 심사하는 이들이 바빠진다. 그런 분망한 자리에서 자주 만나게 되는 사람들이 있다. 신경숙 씨도 그중 하나다. 지난해 12월에도 한 신문사의 심사장에서 만났다. 중편소설 심사를 위해서였다. 신경숙 씨의 심사 속도는 대체로 느린 편이다. 투고작 한 편 한 편을 그야말로 정성스럽게 읽기 때문이다. 그 정성은 마치 한 땀 한 땀 수놓듯 소설을 쓰는 자신의 버릇처럼 남의 소설을 읽는 것 같은 느낌을 들게 할 정도다. 그러다가 탈락시킬 때면 그녀는 매우 가슴 아파한다. 미숙한 작품이지만 그것을 쓰기 위해 들였을 예비 작가들의 노고와 다시 탈락의 슬픔을 추슬러야 하는 그들의 상처를 두루 생각하며, 그녀는 무척이나 아파한다. 연민. 존재하는 모든 상처들에 대한 그 연민의 눈길에서 신경숙 씨의 상상력이 촉발된다는 생각을 거듭하게 하는 대목이 아닐 수 없다. "제목도 창작인데, 제목이 왜 이렇대요?" 그냥 지나가는 질타가 아니다. 한없는 안타까움이다. 그런 신경숙 씨의 안타까움은 곁으로 전이된다. 옆에서 심사하던 사람들의 속도도 느려지고, 가슴에 아픈 파장이 일어난다.'

이런 에피소드들을 통해 두루 껴안고 속살 깊이 삶의 기미를 느끼고자 하는 신경숙 씨의 특징들을 엮어나간다? 그러나 여전히 앞에서 느꼈던 사정은 해소될 것 같아 보이지 않는다. 걱정이다.

상처 입은 사람들끼리의 교감과 신생의 가능성, 혹은 새로운 인간관계의 가능성을 여로형 구조를 통해 그려낸 소설 〈부석사〉.

이상문학상 대상 수상작인 이 소설 얘기로 시작해볼까. 그것 역시 다른 글의 몫일 터다. 그렇다면? 나의 글은 어떻게 시작해야 할 것인가. 여러 다양한 시작을 가능케 하는 것은 신경숙 씨의 인간과 문학 덕택일 것이다. 그럼에도 그 어느 줄기에서도 시작하지 못하고 있는 것은 전적으로 내 탓이다. 여기서 세 번, 가슴을 친다. 그래도 여전히 나의 신경숙론은 시작의 기미를 알지 못한다.

이상문학상
대상 작가를
말한다

윤대녕을 말한다

영혼의 부활을
꿈꾸는 사람

문학평론가 **최성실**

영혼이 맑은 한 인간의 넋두리

　육체로 느끼지 못했다면 그냥 스치고 지나갈 것들을 그는 정확하게 그의 육감으로 걸러낸다. 나는 민감하게 반응하는 그의 손가락을 보면서 가끔 생래적으로 육감이 발달한 사람이 아닐까 생각하곤 한다. 이를테면 가는 손가락 사이에 담배를 끼우고 조용히 담배를 빨아들일 때 미세하게 떨리는 손끝이라든가. 통마늘 한 쪽을 베어 물고 찡그리는 얼굴 표정의 섬세함이라든가. 여하튼 나는 말수는 적지만 그런 몸짓이나 표정으로 못다 한 말을 다 하고 있는 그를 보면 속으로 빙그레 웃음이 고인다.

　그를 만나면 으레 늦게까지 술자리를 하게 된다. 함께 마시는 사람들 모두 편안한 사람들이어서 그런지 낮 동안에 있었던 일들을 안주 삼아 사는 얘기, 연애 얘기, 동백꽃 얘기, 사막 얘기를 능청능청 늘어놓는 그를 보고 있노라면 도저히 먼저 일어나겠다는 소리가 나오질 않는 것이다. 그 순간 그 자체가 잊히지 않는 지난날들이며, 영혼이 맑은 한 인간의 넋두리가 새어 나오는 진정 소중한 시간이므로. 그때 나는 그 안에서 조금씩 흘러나오는 광기를, 참을 수 없는 광기를 느낀다.

우리는 만나자마자 붉은 봉오리를 터트리고 있는 동백꽃, 선운사의 동백꽃 얘기를 했다. 나는 동백꽃 피는 소리가 들리는 것 같아서 어깨를 움찔했다. 그리고 하얗게 핀 배꽃, 나주의 배꽃에 대해서도 얘기했다.

그는 배꽃이 피어 있는 배밭에 들어가면 시계가 도는 반대 방향으로 돌게 된다고 했다. 한없이. 그 하얀 배꽃이 피어 있는 배밭에서 베어 문 배는 꼭 사람의 살을 베어 문 것 같다고 했다. 배꽃, 백색, 육체……

백색의 꿈

시계 반대 방향, 그는 분명 시계 반대 방향이라고 했다. 지금까지 살아왔던 방향과는 반대 방향으로 돌아가버리고 싶다는 것, 그것은 그에게 역사라는 이름으로 만들어져왔던 것들을 처음 어느 하나의 점으로 돌려놓고 그 이름으로 지워졌던, 혹은 가려졌던 무수한 것들을 시간이라는 이름으로 되짚고 싶다는 바람이기도 했다.

그 바람의 끝에서 그는 아무것도 없음으로 해서 완벽하게 있는 것에 대한 꿈을 꾸었던 것이다. '백색白色'의 꿈. 그 백색의 꿈을 하얗게 머릿속에 떠올리면서 경복궁 연못가를 걸었다.

나는 가끔 한 번씩 강하게 스치는 연못가의 바람을 맞으며, 마치 버림받은 사람처럼 힘없이 땅 위로 스러져 내리는 꽃잎들을 보면서 멍해지는 기분을 느꼈다. 그리고 그 끝자락에서 갑자기 나무에 붙어 살아 있던 목숨이 한순간에 땅 위로 굴러 떨어지면서 삶과 결별하게 되는 바로 그 순간, 삶과 죽음이 하늘거리는 종이 한 장 사이에서 서로를 맞대고 있는 모습을 보았다. 그리고 그 영상 속으로 죽음이 등짝에 매달려 다닌다는, 그러면서도 살아가는 것에는 사생결단을 내듯이 살아간다는 그의 독백이 잔잔하게 스며들었다.

마치 그렇게 살아야 한다는 듯이 입술을 다물며 말을 내뱉는 그에게서 나는 이상한 비애감을 느꼈다. 어떤 말도 그렇게 단호하게 내뱉은 적이 없었으므로. 그 느낌이 흐려질 무렵 나는 그가 육신의 죽음을 삶의 거적때기로 삼아 영혼의 부활을 꿈꾸고 있다는 사실을 알게 되었다.

죽음에 대한 생각

영국의 시인 존 던은 달걀을 통해 육신과 영혼의 관계를 비유했었다. 노른자위는 육신(삶)이었고 노른자 속의 씨눈은 영혼이었다. 노른자를 먹고 씨눈이 자라서 병아리가 되는 순간이 달걀이 부화하는 순간이라는 것이다. 이때 노른자 꼴인 육신은 영혼을 가꾸는 먹이에 불과하게 되는 것이다.

제 모양을 제대로 갖춘 달걀이 병아리를 위해서 부서져야 하듯 다 자란 영혼을 위해 인간의 육신도 산산이 부서져야 하는 것이다. 산산이 부서진 육신 없이 영혼이 자라기 힘들다는 것이다. 육신의 사멸이 있은 연후에 영혼이 열리는 것이다.

그는 〈천지간〉을 쓰면서 많은 순간 죽음에 대해서 생각했다고 했다. '죽음', '인연', '운명'. 그렇게 말로 하기 어려운 것들에 붙들려 해남으로, 완도로 떠돌았노라고 했다.

그러고 보니 그의 소설에서 나타나는 많은 부분이 이렇게 떠돌아다니다가 경험한 것들, 여행을 하면서 느끼게 되었던 것들로 채워져 있는 것 같다.

"우리는 모두가 타인이며 또한 이렇게 모두가 타인이 아니다. 그래, 나는 자주 부싯돌 같은 마음을 꿈꾼다"고 했던 〈신라의 푸른 길〉이, "피아노 소리는 사막의 구석구석으로 물주름처럼 번져나가고 있다. 그 소리를 따라 사방에서 백합들이 투둑투둑 피어나기 시작한다"라고 했던 〈피아노와 백합의 사막〉이, 그리고 "그건 상처라고 기억되는 것이라기보다 마음

저 깊은 곳에 숨어 살며 소리 없이 영혼을 갉아대고 있는 어떤 짐승의 그림자 같은 것일 게다"라고 했던 〈사막의 거리, 바다의 거리〉가 여행의 틈바구니에서 써진 것들이다.

그가 그렇게 어디론가 떠날 생각을 하는 것(그는 사흘을 집에서 견디기 힘들다고 했다. 하루하루 견디다가 사흘째 되면 머리가 돌 것 같다고 했다)은 아마도 "어제와 오늘의 자아가 각기 다른 거예요. 불연속적이란 얘기죠. 그러다가 자아 분열 상태가 오고 그쯤 되면 누구나 떠날 생각을 한 번쯤 해볼 거예요"라고 술회했던 것과 무관하지 않을 것이다. 그는 그렇게 참지 못하고 집 밖으로 뛰쳐나온다. 그렇게 뛰쳐나와 바닷가 근처를 돌아다니면서 소설을 썼다.

서로를 알아보는 죽음

〈천지간〉을 쓰는 동안에 그가 묵었던 숙소에는 소리꾼들이 같이 묵었다. 바로 그때, 지금까지 별로 관심을 갖지 않았던 판소리에 대해서 지대한 관심을 갖게 된 것이다.

〈천지간〉에 삽입된 노래도 그때 들었던 것들에 대한 인상으로 채록본을 찾아 기록한 것이라 했다. 그 소리꾼들이 몸으로 뽑아내는 소리를 들으면서, 뿌리로 뽑아 올린 땅의 기氣로 피워낸 배꽃 무더기를 떠올리면서, 핏빛의 검자줏빛 동백꽃의 봉오리가 터지길 기다렸던 것이다.

그런데 그때까지 동백은 아직 봉오리를 열지 않은 듯했다. 대신 거기서 그는 나풀거리는 '백색白色'을 본 것이다. 그 백색은 타인과의 찰나적인 마주침의 순간에, 차디찬 죽음의 그림자가 스치는 순간에, 산〔生〕 죽음과 어깨를 마주치는 순간에 다가온다.

그리고 "슬픔이 슬픔을 알아보고 사랑이 사랑을 알아보듯 죽음 또한 죽음과 만나면 별수 없이 서로를 알아보게" 되는 순간 배꽃이 터지듯 그와 '순간적'으로 부딪친다. 그 순간의 '느낌'으로, 그 순간의 '몸각'으로 소설의 언어들이 만들어지는 것 같았다.

그 언어로 그는 "침대 위에 차갑고 딱딱한 내 껍질을 벗어 놓은 채, 내일 아침 내가 벗어 놓은 껍질 속에서 과연 다시 깨어날 수 있을는지, 잠이 든다는 것은 한편 정전이 된다는 뜻이기도 하다. 정전이 되면 젊은 날 일렀던 하루의 추억이 순식간에 묵은 시간 속으로 달아나버리고 만다. 껍질을 떠나 깊은 잠의 나락으로 떨어진다. 춥다"라고 썼다. 그리고 "태양도, 달도 없는 나라. 온 강물이 얼어붙은 나라. 그녀는 그런 곳에서 큰 숲처럼 서서 울고 싶다"고 썼다.

큰 숲처럼 울고 싶은 것, 그건 아마도 그의 심정이기도 한 것이다. 아무것도 없음으로 해서 완벽한 그 어떤 곳에서 상처 받지 않은 영혼으로 거듭나고 싶은 것, 바로 그것이리라. 그에게 사막도 그런 존재인 것 같았다. 그래서인지 사람들과 별로 어울리기를 좋아하지 않는 그지만 실크로드 여행을 같이 했던 사람들은 가끔 만난다고 했다.

'죽음'과 '운명'

나는 가끔 그의 소설에 등장하는 여자들이 어딘가 모르게 서로 닮았다고 느낄 때가 있다. 그 여자들은 '혼자 있음'과 '간혀 있음'의, '상처 입은 투명한 영혼'의 이미지를 풍기거나 물기를 머금은 '벚꽃' 같은 이미지를 흘려보낸다.

그런 여자들이 그의 삶 속으로 끼어들어 만들어내는 틈, 그녀들은 그렇게 틈의 존재자들이다. 그 존재자들 사이에서 그는 사막에서 피어나는 백합을 보는 것이다.

그는 진정한 연애를 해보지 않아서 소설에 연애 얘기를 많이 쓰는 것 같다고 했다(나는 아직도 이 말이 사실인지 변명인지 알지 못한다).

그에게 소설 속의 연애란 무엇일까. 내가 보기에 그것은 그가 소망하는 '관계 맺음'이다. 맺고자 하는데 끊임없이 비껴나가는 어쩔 수 없는 존재자의 비애. 크리스테바는 사랑하는 사람은 나르시시즘과 히스테리를 화해시킨다고 했다. 사랑하는 사람에게는 이상화할 수 있는 어떤 타자가 있는데 이는 사랑하는 사람 자신의 이미지를 전송해주지만 역시 타자라는 것이다. 사랑하는 자에게 중요한 것은 그 이상적인 타자의 존재를 존속시키고 그 자신이 타자와 융해됨으로써 자신이 분간할 수 없을 정도로 타자와 비슷하다고 느끼는 것, 그것이 사랑하는 사람에 대한 느낌이란 것이다. 그런 의미에서 본다면 그는 소설 속의 여자들과 끊임없이 사랑에 빠지고 헤어 나오는 것이리라. 사랑에 빠진 상태에서 절대 타자는 현실이지 은유가 아닌 것이다.

그가 이전의 소설집《은어낚시통신》에서 보여주었던 도시 문화에 대한 고민이《남쪽 계단을 보라》나《추억의 아주 먼 곳》을 지나 〈천지간〉으로 오면서 점차 '죽음'이나 '운명'에 대한 고민으로 옮겨지는 이유가 어디에 있을까.

삶이 소설이고, 소설이 삶

그건 언젠가 그가 말했듯이 더 이상 보고 싶은 영화가 없고 더 이상 들을 음악이 없는 상태, 풍경이 어느덧 나의 상처로 다가와 상처가 다시 풍경이 되는 그 순간적인 틈 사이에서의 아득함이었을 것이다.

그리고 노을이 지는 갯벌에서 마치 선지피가 뭉쳐 있는 듯한 느낌을 받았을 때 내 안에서 터져 나온 생生, 하얀 배꽃 사이에서 사멸해버리고 싶다는 충동, 아무것도 없음으로 해서 완벽한 어떤 것들 사이에서의 아찔함이었을 것이다. 역사가 녹아내린 그곳에서 다시 시간이란 이름으로 떠올라오는 또 다른 이름의 역사, 이런 것들이 그에게 이토록 먼 여행을 하게 했던 것이리라.

어렸을 때부터 병치레를 많이 했던 그에게, 늘 변두리로만 떠돌아야 했던 그에게 유독 발달한 감성은 짐이 되었던 것 같다. 엄청나게 큰 집에서 조부모와 함께 살아야 했던 그를 키운 건 외로움이었다.

무엇이든 외톨이로 해야 했던 일들, 그리고 몸이 아팠던 기억들, 넓고 어두운 방에서 키워졌던 외로움이 유년의 뜰에 무성했던 것이다. 그래서인지 그의 얼굴에는 뭔가 드리워져 있는 것 같다. 그런데 그 드리움이 잠시 잠시 걷히는 사이로 보이는 그의 얼굴에서는 진정 투명함이 흘러나온다.

난 그 섬세한 투명성을 좋아한다. 그 투명성은 제도화된 현실 속에서 비켜 나 있는 것들에 대한 반란을 꿈꿀 때, 혹은 사는 현실과 맞물린 소설, 그 소설로 삶을, 누더기 같은 삶을 깁고 싶어 하는 그의 뒷모습을 볼 때, 그때 잔잔하게 스며드는 것들이다.

　난 그의 소설이 그 기움의 자리를 옹골차게 메워가기를 바란다. 여러 가지가 섞여 흐릿한 이미지들이 구체적인 일상과 맞닿으며 섬세한 투명성을 발하길 바란다는 것이다. 삶이 소설이고 소설이 삶인 것처럼 그렇게, 그렇게 멀리 가길 바란다.

이상문학상
대상 작가를
말한다

윤이형을 말한다

검은 숲의 헤드 랜턴과
레일라의 선물

시인 유형진

내가 처음 윤이형을 보았을 때 그녀는 열네 살의 소녀였다. 이제 막 청소년의 첫발을 내민 중학교 1학년, 열네 살 윤이형이 전체 신입생 대표로 단상에 올라 '입학 선서'를 복창하는 것을 보던 30년 전의 나는 '세상 다 망해버려라'라는 심정으로 운동장에 삐딱하게 서 있던 '중3 언니'였다.

그 후 30년이 흘러 야무지게 입학 선서를 복창하던 중1 소녀는 소설가가 되었다. 그리고 삐딱한 중3 언니는 시인이 되어 '소설가 윤이형'을 생각하며 이런 글을 쓰게 될 것이라고, 그 작은 운동장에 빽빽이 서 있던 2천여 명의 소녀들과 선생님들은 아무도 몰랐을 것이다. 삶이란 이렇게 도무지 어떻게 해도 알 수 없었던 것들을 갑자기 툭, 선물처럼 던져준다.

찰나의 순간, 그리고 통쾌한 웃음

윤이형이 오랜만에 연락해서 "언니, 부탁할 게 있어"라고 했을 때, 그 부탁이란 것이 왠지 어마어마할 것 같다는 느낌이 들었다. 내가 아는 윤이형은 누군가에게 무리한 부탁 같은 것을 할 사람이 아니다. 어떤 일이든 윤이형에게 주어지면 윤이형은 그것을 꽁꽁 끌어안고 끝까지 해낼 사람, 어떻게든 다른 사람에게 폐를 끼치거나 해를 주지 않고 혼자 해결해보려고 노력하는 사람이라는 것을 나는 안다. 그래서 그런 윤이형이 이런저런 궁리 끝에 나에게 전화를 했다면 나는 그 부탁을 거절할 수 없다.

윤이형이 부탁을 다 하다니, 자못 궁금한데? 무슨 일이야?

내가 올해 이상문학상을 받는다는데……, 수상 작품집에 작가론이 들어가야 한대……. 그거 언니가 써줄 수 있어?

세상에 이상문학상이라니! 윤이형이 그런 상을 받다니! 나는 나도 모르게 폴짝 뛰었다. 폴짝 뛰던 그 순간, 그 0.00001초 동안 나는 지구에서 떨어져 공중에 머물렀다. 그 찰나의 순간에 나는 별의별 생각이 다 떠올랐다.

우리는 세상 대부분의 사람들은 잘 쳐다보지도 않는 골목의 후미진 구석에서 있는 힘껏 소리를 질러대 봤자, 웬만한 사람들은 잘 알아듣지 못하는 눌변만 튀어나올 뿐이라고 생각한 시간이 길었다. "너희들이 암만 그런다고 세상이 달라지니?" 어디선가 그런 말도 들렸다. 하지만 우리는 그렇게라도 우리 목소리를 내야 한다는 당위를 드라이아이스처럼 끌어안고 있는, 그 뜨거운 얼음에 우리 몸이 데이는 줄도 모르는 바보가 아닐까 생각한 적도 있었다. 그런 엉킨 실타래 같은 생각들을 하면서도 내 입은 웃고 있었고, 제일 먼저 튀어나온 말은 "너 진짜! 뭐야 이형아, 축하해!"였다. 그러고 나서 왠지 통쾌해서 웃음이 터졌다. 터진 웃음은 쉽게 멈추질 않았다. 그래서 한참 핸드폰을 잡고 깔깔깔 웃었다. 나의 웃음에 윤이형도 깔깔깔 웃었다. 우리는 서로가 있는 공간에서 핸드폰 너머로 한참을 그렇게 미친 듯이 웃었다. 웃음이 잦아들자 윤이형이 말했다.

나도 믿어지지 않아.

캄캄한 숲에서의 랜턴

어떤 숲이 있다. 그 숲은 오래된 나무들이 빽빽하게 자라 있어서 한낮에 들어가도 캄캄하다. 밖에서 보면 그 숲은 굉장한 위용이 있었다. 사람들은 도대체 저 숲에 뭐가 있는지 궁금해했다. 그 숲에 들어갔다 나온 이들의 말은 제각기 다 달랐다. 황금빛 버섯이 무수하게 피어 있고 무지갯빛 안개가 그 버섯의 주변에 떠돈다고 말하는 사람도 있었다. 조 말론 향수보다 더 향기로운 꽃이 만발해 있다고 하는 사람도 있었고,

눈이 세 개에 꼬리는 열두 개인 괴물이 살고 있다고 하는 사람도 있었고, 숲속 한가운데로 들어가면 아름다운 호수가 있는데 그 호수에서 헤엄치며 놀다가 인면어_{人面漁}에게 다리 한쪽을 잃었다는 소문도 있었기에 누구의 말이 사실인지는 알 수 없었다.

윤이형도 나도 그 캄캄한 숲에 자의적으로 들어간 사람 중에 하나였다. 그 숲속에서 길이 끊기거나 장애물이 나오면 나는 점프를 하거나 다른 길로 돌아갔다. 나는 점프를 할 수 없으면 이 길을 통과하기엔 지금은 적기가 아니라던가, 내 깜냥으론 건널 수 있는 길이 아니라며 자기합리화를 잘했다. 그러나 윤이형은 이 캄캄한 숲속에서 박쥐와 우글거리는 벌레들과 불안하게 돌아다니는 설치류들과 그것들을 잡아먹으려 울어대는 맹금류들의 소리를 들으며, 그 길에 작은 헤드 랜턴 하나로 얽히고설킨 커다란 나무 넝쿨들을 피하지도 않고, 돌아가지도 않고, 그 앞에서 어떻게든 문제를 풀어보겠다고 갑자기 쏟아지는 우박도 맞고, 차가운 비도 맞고, 심지어 흙탕물 세례까지 받아가며 전전긍긍했다.

어떻게 사람이 저럴 수 있지? 바보 같아 윤이형. 왜 돌아가지 않는 거야? 왜 피하지 않는 거야? 나는 오래 쓰고 있을 수도 없는, 플라스틱 우산살을 가진 비닐우산 하나를 펼쳐 들고 그 옆에 잠시 서 있었던 것이 전부였다. 그렇지만 윤이형은 그런 자신 옆에 그렇게라도 잠깐 서 있어준 나를 걱정하고 고마워했다. 이런 나를 걱정해주고 고마워하다니. 너는 도대체 얼마나 밑도 끝도 없이 착한 거니? 바보에다 착하기까지 해서 나는 정말 윤이형을 이 캄캄한 숲의 언저리에 놔두고 나만 멀리 갈 수 없었다. 그래서 멀지 않은 곳에서 그녀를 지켜보았다.

곁에 내내 있어주지 못하더라도, 가까운 곳에서 지켜봐주는 사람이 있다는 것만으로도 윤이형은 충분히 견디는 사람이었다. 이 '가느다란 지켜봄'은 마치 어린 시절 종이컵 전화기에 연결된 무명실 같은 것이었고, 또 윤이형은 그런 것만 있어도 끝까지 무언가를 해내는 사람이었다. 윤이형이 여태까지 소설을 쓸 수 있었던 것도, 소설집을 내고 오늘처럼 이렇게 많은 이들이 주목하는 문학상을 받을 수 있었던 것도, 나 같은 사람들이 그녀 주변에 끊임없이 있었기 때문이고, 윤이형이 그것을 절대 가볍게 여기지 않았기 때문이라고 생각한다.

그러나 윤이형에게 있어 무엇보다도 큰 힘이 되어준 것은 그녀의 소설을 읽고, 그녀의 소설책을 사서 책장에 꽂아 놓고, 그녀의 이야기를 꾸준히 들어준 독자들이라고 생각한다.

그 덕분에 그녀가 이 캄캄한 숲에서 아직까지도 랜턴을 끄지 않고 앞으로 나아가고 있는 것인지도 모른다. 절대로 뚫리지 않을 것 같은 고목들의 넝쿨 앞에서 윤이형이 스스로의 힘으로 그 넝쿨을 뚫고 차근차근 캄캄한 숲을 걸어가는 것을 나는 보았다. 그 걸음을 보며 이 캄캄한 숲에서 나도 나의 랜턴을 끄지 말아야지, 끝까지 가봐야지 생각한다.

장애물을 뚫고 있는 사람

나는 지금 소설을 쓰고 있지 않지만, 내가 만약 소설을 쓰게 된다면 그 이유의 반은 윤이형 때문일 것이다. 그녀는 내가 쓰는 시를 좋아한다고 말했다. 그녀가 소설가가 되어 나를 처음 만났을 때, 첫 시집부터 쭉 읽었다고 내 시의 팬이라고도 말했다. 윤이형이 열네 살이고 내가 열여섯 살이었을 때, 그 추운 봄날 중학교 운동장에서 윤이형을 알아봤던 나를 윤이형은 알지 못했지만, 운명적으로 윤이형은 내 시를 알아보고 내 시를 좋아하게 되었을 거라고 생각한다.

윤이형은 나의 첫 시집 중 〈피터래빗 저격사건〉 연작을 좋아했다. 그 시는 산후조리원에 있을 때 청탁 받았고, 백일도 채 되지 않은 젖먹이에게 모유 수유를 하며 썼던 시라고 말했더니, 윤이형은 너무 놀랐다. 어떻게 그런 '비인간적인 상태'

에서 그런 시가 나올 수 있냐고 물었다. 나는 윤이형의 말을 듣고, 어쩌면 그때 내가 '비인간적인 상태'여서 그런 시를 쓸 수 있었던 것이 아니었을까 생각했다. 그리고 내가 육아 중에 겪은 우울증과 그 시절 이야기인 '하드보일드 육아 일기'를 썼다고 했을 때도 윤이형은 몹시 흥미로워했다. 그리고 그 육아 일기를 보고 싶다고 말했다. 그때 윤이형은 육아와 돌봄 노동으로 지친 '비인간적인 상태'였던 시기였을 것이다. 그때 우리는 국가와 사회가 대신할 고통과 고민을 개인이 왜 이렇게 혹독하게 치러야 하는지 모르겠다고 이야기하면서 함께 분노하기도 했다. 어쩌면 그 시절의 이야기들이 〈대니〉가 되고, 〈작은마음동호회〉가 되었는지도 모른다.

내가 해주는 이런저런 이야기들을 윤이형은 좋아했다. "그거 소설로 쓰면 좋겠다. 소설로 써줘." 나는 웃는다. 그리고 이렇게 말한다. 내가 쓰려고 했다면 시로 썼겠지. 말은 그렇게 했지만 어떤 이야기들은 시로 쓸 수 없었다. 어떻게 해도 시로 나오지 않을 이야기들이었다.

시작도 끝도 알 수 없는 어떤 말들이 내 속에서 마구 터져 나올 때, 멈출 수 없는 비약과 환유가 시작되면 그것은 나에게 시가 되었다. 하지만 가끔은 그렇게 터져 나오지 않는 내

속의 이야기가 있었다. 나는 그 이야기의 시작이 어디서부터였을까 하고 파고 싶을 때가 있었다. 그리고 그 이야기가 어떤 과정을 거쳐 어떤 결말로 가면 좋은 이야기가 될 수 있을까 궁금해지기 시작했다.

하지만 앞에 귀찮은 장애물이 있을 땐 그것을 뚫고 나가기보다 점프하여 뛰어넘고 싶어 하는 나는, 점프력은 좋을지 몰라도 '소설가 윤이형'이 가진 성실함과 끈기가 없다. 그녀는 어쩌면 나의 점프력을 좋아했을지도 모르지만(확인한 적은 없다) 그것은 이 캄캄한 숲에서 나를 그나마 버티게 했던, 어쩌면 부끄러운 방어용 무기였다. 점프력이 딸릴 때마다, 이 숲을 이제 그만 벗어나고 싶다고, 아주 지긋지긋하다고, 게다가 자주 깜박거리며 희미해져가는 랜턴도 그만 꺼버리고 싶다고 생각할 때마다, 작은 종이컵 전화기의 무명실 한쪽 끝을 잡고 열심히 썩어가는 거목巨木들의 덩굴 더미를 헤치며 앞으로 나아가는 윤이형을 생각했다. 그리고 어딘가에서 윤이형처럼 많은 작가들이 그렇게 조용히, 남이 알아주든 알아주지 않든, 자기 앞의 장애물을 뚫고 있으리라는 것을 잘 알고 있다.

레일라의 선물

윤이형이 어떤 이유로 행복한 기분을 느꼈다면, 윤이형은 그것을 혼자만 느끼며 만족해하지 않을 사람이다. 자기가 아끼고 좋아하는 사람, 사랑하는 사람 들까지 다 그것을 알았으면 좋겠고, 함께 느끼길 바라며, 어떻게 하면 그렇게 될 수 있을까 고민하는 사람이다. 완벽한 행복이라는 것은 어디에도 없고 절반만 행복하고 절반은 불행하다고 한다면, 기분의 부등호를 행복 쪽으로 돌려놓고 끝까지 가보려고 하는 사람이 윤이형이다.

그러고 보니 작년 이맘때 윤이형의 고양이 '레일라'가 하늘나라로 돌아갔다. 나는 왠지 '레일라'가 윤이형이 갖고 있던 커다란 슬픔과 고통과 외로움 들을 함께 하늘나라로 가져간 것 같다. 나에게도 윤이형의 '레일라' 같은 반려견 '호두'가 있어서, 나는 윤이형의 그 마음을 절절하게 느낄 수 있다. 작년 이쯤에는 캄캄한 숲속에서 묵묵히 굴을 파던 윤이형이 이제는 빛이 보이는 곳까지 나와, 뱅쇼도 끓이고, 쌀국수도 하고, 수제비도 하고, 가자미 무 조림도 하기 시작한 것이다. 모두 '레일라' 덕분이라고 생각한다. 윤이형의 이번 수상작도 어쩌면 '레일라의 선물'일지도 모른다.

윤이형이 쓴 동명의 단편소설 제목이기도 한 '작은마음동호회'라는 것이 있다. 이것은 어떤 일을 작게 쪼개어 하나하나 마음 다해 생각해보길 좋아하는 동호회다. 윤이형도 이 동호회 회원인데, 가끔 '소심한 사람들의 모임'으로 오인 받기도 한다(알 만한 이들은 알겠지만 우리는 진짜 소심하지 않다!). 이 동호회는 회칙도 없고 정모도 없는 헐렁한 모임인데, 전 세계에 회원이 널리 퍼져 있다. 대표 회원으로는 일본인 시즈카 유이, 필라델피아의 한 여사, 용산의 쩨 언니, 모래내의 바위랑이 엄마, 정릉의 B 선생님(얼마 전 파주로 이사 가셨다) 등이 있다. 이분들도 '작은마음동호회'의 회원으로서 윤이형의 이상문학상 수상을 나만큼 기뻐할 사람들이라 이 소중한 지면에 밝힌다.

윤이형은 어떤 일이든 결론적 해결을 빨리 내리기보다 그 과정 중에 억울한 이들은 없는지, 누군가의 비합리적인 선택은 없었는지 하나하나 되짚어보며, 왜 이런 일을 내가, 그리고 우리가 당해야 하는지 끝까지 고민하는 사람이다. 그래서 캄캄한 숲의 어둠이 어떻게 시작되었는지, 고목의 넝쿨은 왜 이렇게 무자비하게 뻗어 있는지, 무엇이 이 숲을 지나는 초행자들을 힘들고 고통스럽게 하는지, 어째서 큰 고목 옆에 자라던 작은 나무들은 빛을 못 보고 말라가야 하는지, 윤이형은 알고 싶은 것이다.

윤이형이 쓴 소설들은 그런 '앎의 과정에 대한 기록 일지'라는 것을 나는 잘 안다. 내가 그걸 알 거라는 것을 윤이형도 알기 때문에 나에게 이런 글을 써달라고 부탁한 것이라고, 나는 생각한다.

바라보는 그녀와
보여지는 그녀

문학평론가 김미현

이상李霜의 선물

"걱정하지 말아요. 다리도 예쁘고, 그 다리만큼 마음 또한 예쁘다고 꼭 밝힐게요." 축하 전화 끝에 얼굴 예쁘다는 소리 말고 다른 말도 써달라고 농담을 하는 그녀에게 나 또한 뒤질 세라 농담을 가장한 진담을 한다. 수상 소식에 '짐작과는 달리' 다소 우울해하는 그녀에게 그녀 본래의 모습으로 돌아갈 수 있는 물꼬를 터주고 싶어서였을 것이다.

하지만 그 와중에서도 그녀의 본질은 다음 말에서처럼 여실히 드러난다. "확실히 다시 준다고 약속만 하면, 진짜로 잘 써서 몇 년 후에 받고 싶어." 재기발랄함이나 사고의 탄력성은 숨기기 힘든 본질이다. 단순하게 어느 한쪽의 감정만 나타내기에는 너무 복잡한 성격이라 '상을 받아 기쁘다'는 원초적 솔직함과 '아직은 때가 아니어서 부끄럽다'는 고차적 솔직함을 그녀는 이렇게 동시에 표현한다. "확실히 다시 준다고 약속만 하면"이라고 붙인 단서에서 나는 그녀의 위악과 절제를 느낀다. 물색 모르고 기뻐하는 '보여지는 그녀'를 이치에 밝은 '바라보는 그녀'가 용서치 못하는 형국일 터다.

솔직히 밝히자면 나는 언제인지는 불확실하지만 이런 날이 오리라고 '짐작하고' 있었다. 어찌 이상李箱이 그녀를 알아보지 않을 수 있겠는가. 둘 다 '사랑'에 호되게 당할 줄 알았다. 그토록 사랑에 속아주지 않다니. "剝製박제가 되어버린 天才천재를 아시오? 나는 愉快유쾌하오. 이럴 때 연애'까지가' 愉快하오"라고 말하는 이상의 위트와 패러독스나, "술이 많이 취했을 때면 그가 그립다"고 하지 않고 "술이 어설프게 취했을 때나 그가 그립다"고 말하는 은희경의 독설과 냉소라니.

사랑이 맨 마지막에나 겨우 사람을 유쾌하게 만들 수 있는 최대의 황무지임을 그들은 공히 인식했던 것이다. 그러면서도 그들은 "제일 싫어하는 飮食음식을 貪食탐식하는 아이러니"를 사랑을 통해 몸소 실천한 점에서 닮았고, 그때의 연애 감정을 일종의 '포즈'로 간주한다는 점까지도 너무 닮았다. 남들이 대단하게 여기는 것을 우습게 여기면서도 그 누구보다 애용하다니, 내가 '사랑'의 입장이었어도 그들에게 섭섭했을 것이다. 그래서 그들이 가장 싫어하는 방식으로 한데 묶여 복수했을 것이다. 그들은 모두 '무거운 진실'을 싫어한다. 상賞

은 아주 진실된 것이며 심지어 무거운 것이다.

예민하고 사려 깊은 사람

"나는 착하거나 진지하지 않다." 이렇게 말하는 사람은 선한 사람인가 아니면 악한 사람인가. 은희경을 보면 혼란에 빠진다. 자신이 삶을 속이고 있는데 그런 속임수까지 알아봐달라고 요구하는 고수가 바로 그녀이기 때문이다. 이토록 속을 투명하게 보여주는 여우는 여우 같은 사슴인가 아니면 사슴 같은 여우인가. 자신이 여우 짓을 하는 것을 굳이 숨기지 않는 여우를 어찌할 것인가. 이건 그녀가 다시 나에게 보내온 복수의 성격을 띤 무거운 농담이다. 자신이 공주임을 말하지 말라는 공주는 공주임이 분명한데. 어려운 문제다. 그래서 비트겐슈타인 같은 언어철학자가 필요한가 보다.

최근 그녀에게서 들은 사적인 고백은 어떤 타인에 대해 80퍼센트만 알아야지 나머지 20퍼센트까지 알면 환멸이 생긴다는 것이었다. 입보다 귀가 큰 그녀는 아마 그 때문에 고충도 많나 보다. 그래서 사람과 사람 사이의 적당한 거리가 그리울 정도로 대인 관계에 지쳐 있나 보다고 생각했다.

하지만 나는 그녀에 대해 80퍼센트까지는 모른다. 그런데 설사 그렇더라도 나는 그녀의 나머지 부분에 대해서 알려고 하지 않을 뿐더러 알 수 있다고 생각하지 않는다. 그녀의 "안다는 것은 어차피 잘못 안다는 뜻"이라거나 "타인을 이해한다는 것은 결국 그에게 편견을 품게 되었다는 뜻"이라는 생각에 동의하기 때문이다. 그리고 나 또한 인간에 대한 예의를 지키고 싶은 사치심도 있고, 끝을 보기 전에 도망 나올 냉소와 지각도 갖추고 있는 편이다.

사실 그녀가 나에게 SOS를 친 것이지 나를 VIP로 이 자리에 초대한 것이 아님은 분명한 사실이다. 타의 추종을 불허하는 그녀의 탁월한 인간성으로 볼 때 그녀의 70~90퍼센트를 이해하는 사람들은 많을 것이다. 그런데도 그녀가 소설가나 시인이 아닌 나 같은 아메바급 평론가를 낙점한 것은 그들에게 선후배나 동료로서 미안하고 부끄러운 생각이 들었기 때문일 것이다. 그녀는 이토록 예민하고 사려 깊은 사람이다. 설마 "친절한 사람 같지 않아서", "거절당해도 상처받지 않을 것 같아서", "부탁을 들어준 뒤에 갖게 되는 어쩔 수 없는 정 같은 것을 나눠주지 않을 만큼 차갑게 보여서", "뭐가 잘못되더라도 어쩐지 자기 잘못은 아닐 것 같아서" 나에게 이 글을 부탁하지는 않았을 것이다.

이런 그녀의 생각을 알 정도로는, 나도 그녀를 안다. 내가 알기로 그녀는 나의 나머지 20퍼센트만 보려고 노력할 정도로 불공평한 사람은 아니다.

불공평하기는커녕 그녀는 상냥하고 친절하다. 예의 바르며 깔끔하다. 그리고 "이해관계와는 상관없는 다감한 성격과 타인에 대한 성실함", 표 나지 않게 상대방이 "회를 집으면 초고추장을, 고기를 집으면 기름소금을 옮겨 주는" 따뜻함도 지닌 사람이다. 전라도 사투리를 써서 한마디로 말하면 '쌈박한' 사람이라고나 할까. 그래서 보통 그녀의 소설만 읽고 그녀를 신랄하다, 가차 없다, 얄밉도록 냉정하다 등으로 그녀의 성격을 추측하는 사람들을 놀라게 한다.

이에 대해 그녀가 마련한 답변은 호탕한 웃음을 동반한 "내가 농담을 좀 안다는 거, 그 사람들이 어떻게 알았지?"다. 더불어 그 괴리에 의아해하는 나 같은 둔치들에게 이렇게 충고한다. "둘 다 나야. 아직도 나의 표면만 보면 어떻게 해. 나의 이면도 좀 보라구."

이렇게 흔히 오해받는 그녀의 위악성은 그녀가 지닌 연약함이나 외로움에서 온다. "정에 굶주린 사람처럼 굴 때가 가장 싫다"는 자존심이 그것을 강화시킨다. 무엇보다 자신의 착함을 믿어달라고 이야기할 용기와 배짱이 그녀에게는 없는 것이다. 그녀는 예민해서 소심하고, 그 소심함 때문에 항상 긴장하면서 살아야 한다. 그런데도 그녀는 자신의 그런 소심함에조차도 성실하다. 그리고 그녀의 그런 소심함은 완벽주의 때문인 듯하다. 겉으로는 "난 욕먹는 게 좋아. 욕을 먹기 시작하면 못할 일이 없거든"이라고 당차게 말하면서도 그녀는 아주 작은 일에도 상처를 받는다. 엄청 진지한 사람이기 때문이다.

이런 예민함과 진지함으로 "적어도 운명적으로 소설을 쓸 수밖에 없다는 식의 있을 수 없는 경구로써 자신의 소설 쓰기를 무책임하게 미화하려고 하지 않는다"는 점에서 그녀는 '특별하고도 위대한' 작가다. 그녀는 자신이 작가라는 사실이 버거울 때마다 "소설가가 그 근처에서 가장 똑똑한 사람일 필요는 없다"라는 레이먼드 카버의 말에서 힘을 얻는다고 한다. 그리고 "만약 어떤 시대처럼 소설가가 지식인이고 스승이라면 나는 소설을 쓸 엄두조차 내지 못했을 것이다"라고 겸손해한다. 나는 그녀의 이런 자의식 혹은 자존심이 그녀를 더욱 특별하고도 위대하게 만든다고 믿는다. 진정한 자의식이나 자존심이란 자신의 한계가 무엇이고 언제 굽혀야 할지 아는 것을 의미하기 때문이다. 그녀는 자신이 특별하거나 위대하지 않다고 말함으로써 특별하고도 위대해진다. 그런 역설이 아무에게나 일어나는 것은 아니다. 왜 소설이 그녀를 선택했을까.

그녀의 세 번째 세상

그녀에게 삶은 애초부터 '선의'나 '호의'라고는 갖고 있지 않은 가혹한 것이었다. 오히려 '장난기'와 '악의'로 가득 차 있었다. 그래서 그녀는 '삶의 이면'에 관심을 갖게 된다. 바야흐로 "삶과 인간의 본성에 대한 위악적인 실험"이 시작된 것이다. 그녀는 "불행하다는 생각이 들면 오히려 힘이 나는" 특이 체질의 소유자이지 않은가. 고통이 시금치로 변하는 기이한 현상은 은희경 같은 뽀빠이에게만 일어난다.

그래서 그녀가 가장 경계하는 것은 세상을 서정적으로 보면서 서정적으로 행동하는 사람들이다. 그녀가 알기로 세상을 서정적으로 보는 사람은 상처받게 마련이다. "영원하고 유일한 사랑 따위가 존재한다고 생각하는 서정성 자체가 고통에 대한 면역을 빼앗아가기 때문이다." 결국 그녀에게 서정성·서정적 인간·서정적 태도는 "삶을 위대하고 진지한 것, 아름다운 것으로만 보려는" 것과 관련되는 정신적 미성숙의 한 양상이다. 본인도 그런 '서정 시대'에서 완전히 벗어나지 못했지만 그래서 더욱 그녀가 원하는 것은 산문적 혹은 서사적 인생이다. 그녀는 쉽게 흥분하지 않거나 남의 시선을 똑바로 인식하면서 제대로 자신을 연기하는 삶을 살고 싶은 것이다.

때문에 그녀 자신의 분신이기보다는 파편들로 등장하는 (그래서 아무리 합쳐도 온전한 그녀가 되지 않는) 그녀 소설 속의 인물들이 강하고 독하게 보이는 것에 대해 다음과 같은 참담한 고백이 마련되어 있다.

"언제나 잘못될 경우에 대비하여 자신을 완전히 던지지 않는 것을 강한 태도라고 할 수 있는가? 삶을 불신하기 때문에 늘 불행에 대한 예상을 하고 그 긴장을 잃지 않도록 거리를 유지하려고 애쓰는 것이 겉으로는 강하고 당당한 모습으로 나타날지 몰라도 실은 나의 가장 비겁한 면이다. 어떤 일에 자기의 전부를 바친다면 그것만으로 그의 삶은 광채를 얻는다. 하지만 나는 내 전부를 바친 일, 그 끝에 잠복하고 있을지도 모를 파탄을 감당할 자신이 없다."

그래서 그녀는 삶의 건조함을 증명하는 데에 최대의 정열을 바친다. 이런 때 보여지는 그녀의 정열은 차가운 정열이다. 정열이 소용없음을 보여주는 데에 정열을 쏟기 때문이다. 그녀가 가장 열심히 하는 일은 삶 속에 숨어 있는 잘못된 심각성을 제거하는 일이다. 그래서 겉으로 보기에는 냉소적이고 허무적으로 보이지만 타인의 '짐작과는 다른' 방식으로 삶 자체에 대해 진지하고 적극적으로 반응하고 있는 것이다.

이런 반응의 최대치를 사랑에 대한 그녀의 반응에서 피부로 느낄 수 있다. 그녀의 소설이 거의 연애소설인 이유는 사랑 자체가 가장 무거우면서도 가볍게 잘못 취급되고 있음을 알고 있으므로 그런 어긋남에 관심을 기울이기 때문일 것이다. 그녀의 소설에서 사랑을 오히려 가벼운 농담으로 처리하는 이유 또한 여기에 있다. 이 세상에서 진지한 사랑이 이루어지기 힘들다는 사실을 통해 사랑의 진지성을 역반영하려는 것이다. 이것은 그녀가 진지함에 대한 반격으로 유희를 통해 진실을 인식시키려는 것과 동일한 전도법이다. 사랑을 하지 않는 것으로부터 자유롭기 위해 그녀는 사랑을 한다. 사람들이 흔히 사랑에 '타령'이라는 말을 덧붙여 신파로 몰기를 좋아하지만, 문학에서 사랑은 김치나 간장 같은 반찬이다. 특히 사정이 어려울 때는 그것만 가지고 밥을 먹지 않던가. 그런 의미에서 사랑은 '진수성찬'이라는 관념성과 허구성을 극복하게 해주고, '끼니' 자체에 대해 겸손하도록 만들어준다는 점에서 작가 은희경에게는 아주 소중한 배반과 위반의 양식이다.

그런데 이런 애정을 가지고 접근한 사랑은 역시 알면 알수록 그 허상을 여실히 드러낸다. 그러나 만약 이 단계에서 우리가 고개를 돌린다면 사랑에 영원히 속을 수밖에 없음을 은희경은 너무 잘 안다. 그래서 그녀는 사랑을 똑바로 쳐다보면서 그것을 극복해야 함을 역설한다. 사랑의 허상을 확인한 사람만이 사랑과의 거리 조절을 통해 더 열심히 그리고 제대로 사랑을 할 수 있다는 것이다.

이런 응시를 원하면서 그녀가 그려내는 사랑의 허상은 너무 지독해서 차라리 도망가고 싶을 정도다. "손가락에 허연 휴지가 말라붙어 있었다. 손톱으로 긁어보려 했지만 지난밤 사랑 없는 남자의 정액으로 접착된 그 휴지는 쉽게 떨어지지 않았다. 여자는 손가락을 입으로 가져가더니 휴지가 붙은 손가락을 옥수수를 먹듯이 이빨로 긁어대기 시작했다."

사랑이 아늑한 방이 아니라 더러운 시궁창에서 벌어지는 비루한 사건임을 이토록 처절하게 그릴 수 있는 작가는 흔치 않을 것이다. 나는 낙원상가 앞을 지날 때마다 그녀가 창조해낸 이 인물이 무감각한 표정을 지닌 채 쭈그리고 앉아 있을 것만 같아 두렵다. 꿈이나 환상을 버린 채 오직 성실함과 통찰력으로 그려낸 사랑의 쓸쓸하고 허무한 그녀의 정물화를 보면 지금도 소름이 돋기 때문이다.

이런 냉소와 허무까지를 겪은 후에야 비로소 그녀에게 제 3의 길이 열리게 된다. 세상이 그녀에게 상처를 입힌다. 그러나 그런 세상을 바꿀 수는 없다. 냉소나 허무는 자폐증적인 히스테리일 뿐이다. 은희경은 이런 세상을 벗어나 제3의 인생을 사는 것은 그런 세상을 보는 자신의 시선을 바꾸는 길 뿐이라고 생각한다. 이때 정正과 반反의 양 극단을 거쳐 그것들을 모두 감싸 안는 합合의 경지를 추구하게 된다. 3은 완전수이기도 하고, 중용이기도 하며, 균형이나 달관과도 통한다. 그녀는 "반대쪽에 있는 것들의 화간和姦 속에서 비로소 삶이 제대로 모호해진다"고 생각한다. 그래서 그녀는 창녀에게서 신성성을 발견하고, 빈처貧妻를 부처(佛陀)로 만든다. 세상은 추한 것만은 아니다. 그렇다고 아름다운 것만도 아니다. 세상은 추하기도 하고, 아름답기도 한 것이다. 그녀는 그런 세 번째의 세상을 표현하기 위해 소설을 쓴다.

소설에게 말 걸기

은희경의 소설 쓰기는 '이지적인 극기 훈련'의 과정이다. 진정한 자아는 '보여지는 그녀'가 아니라 '바라보는 그녀'다. 이런 '바라보는 그녀'의 절제 능력과 거리 의식이 최대로 발휘되는 행위가 바로 소설 쓰기다. "건드려질 때마다 아픔을 느끼는 상처를 갖는다는 것이 삶에 대한 스스로의 조절 능력을 상실하는 것"을 알게 된 이상 그녀는 그것을 그대로 방치하지 못한다. 그래서 그녀는 삶이 그녀의 삶에 해를 끼치지 않도록 하기 위해 소설을 쓴다. 삶에 속지 않기 위해 당연히

행하는 이런 행위가 그녀의 삶을 두 배로 고달프게 만들지만 말이다. "행복하면 행복할수록 그것이 사라질 때의 상실감에 대비해야만" 한다는 강박관념을 갖게 하기 때문이다. 그녀는 행복할 때도 행복해하고 불행할 때도 행복해하는 최면술이나 낙천성을 불행하게도 지니지 못했다.

그렇기 때문에 그녀는 더욱 열심히 소설을 쓴다. "세상이 내게 훨씬 단순하고 너그러웠다면 나는 소설을 쓰지 않았을 것이고, 아마 인생에 대해서 알려고도 하지 않았을 것이다." 세상이나 인생이 먼저 그녀에게 말을 걸어온 것이다. 그것들은 은희경에 의해 발견되어 새로워진다. 아니, 그녀의 시선에 의해 본래의 모습을 가장 잘 보여주게 된다. 은희경은 머리가 좋고 성실하므로 자신에게 주어진 임무를 완벽히 수행한다. "삶에서 어떤 한 부분을 포착하고 거기에 칼날을 대고 잘라내서 단면을 본 다음, 다시 뒤집어서 이면을 보는 것, 그런 것이 소설 쓰기"라는 생각으로 그녀는 소설을 쓴다. 그래서 남들이 삶을 '모자帽子'라고 생각할 때 그녀는 그것이 코끼리를 통째로 삼킨 '보아구렁이'임을 알아본다.

그녀의 그런 투시력은 열두 살 이후 성장할 필요가 없었다고 과장을 하는 아이의 겉으로 드러난 조숙함이 아닌, 한때는 아이였을 어른들이 훼손되지 않은 유년기에 경험했던 순정성에서 연유하는 것이다. 아이들의 순정성을 자신들의 잣대에 의해 농담으로 취급하는 것 자체가 그리운 유년으로 온전히 돌아갈 수 없는 어른들이 삶에 대해 저지르는 폭력이기 때문이다.

그래서 이때 발생하는 그녀의 위악적인 농담은 삶이 무지갯빛이라는 환상을 심어주기 위해서가 아니라 삶이 회색이라는 환멸을 인식시키기 위한 성인극의 대사가 된다. 그리고 그런 환멸이 '가장 강력한 구애의 형태'라는 점에서 진정한 연기술이나 위장술마저 요구하게 된다. 얼마나 좋아하는가가 아니라 얼마나 달아날 수 없는가를 통해 삶에 대한 사랑을 증명한다는 점에서 서글픈 블랙 유머인 것이다. 이런 까닭에 그녀의 소설 속에서 이루어지는 농담은 미소가 아닌 조소를 유발시킨다. 그리고 해방이 아닌 고뇌를 향해 있으며, 존재를 고양시키기 위한 연마술이 아니라 고통을 인내하기 위한 절제술에 더 가깝다. 공격 본능이 아닌 방어 본능에 의해 구성되는 '언어의 이면'인 것이다.

이런 농담에 그녀는 삶의 이면을 담아낸다. 그녀가 보는 삶의 이면은 구린내와 악취가 풍기는 똥통이 아니다. 그것은 다른 작가들이 이미 보아온, 어쩌면 흔한 삶의 살풍경이다. 그녀가 새롭게 바라보면서 처절하게 형상화하는 삶의 이면은 그런 똥통을 삶의 이면이라고 생각하는 인간들의 허위의식 자체다. 그런 이면이 따로 있지 않다는 사실이 그녀가 밝혀낸 진짜 삶의 이면인 것이다. 삶은 겉과 속 모두 거대한 똥통이기에 다시 복원해야 할 깨끗한 삶의 본질이 있다고 생각하는 그 자체를 최대의 '미혹'이라고 가르쳐준다는 점에서 그녀는 진정으로 완벽한 악동이다. 그녀는 자신을 불행하게 만드는 세상보다 삶이 더 행복할 수도 있다는 미련을 버리지 못하는 자신을 더 미워하는 것이다.

그런데 이처럼 "삶의 절단면을 보는 데서 그치지 않고 그것을 뒤집어 이면까지 보려고 하는 태도"를 사람들이 따뜻하지 않다고 단순하게 생각한다는 사실에 대해 그녀는 충격을 받는다. 그것은 그녀가 지닌 마음의 겉면만 본 것이기 때문이다.

그녀는 고통스러운 삶이 지닌 표리일체성이 그녀의 소설이 강조하려는 의미임을 부인하지는 않는다. 그러나 그녀는 그런 목적이 "지독하게 파헤치는 것이 아니라 오히려 편안하도록 드러내는 것"에 있다고 말한다. 그녀는 왜 사람들이 "말귀는 그렇게 잘 알아들으면서 그 진의를 따지는 데는 그처럼 경솔하고 무성의한 것인지" 속상해한다. 사람들은 그녀가 내는 것이 신음 소리인지 울음소리인지는 잘 구분하면서도 그녀가 왜 울고 웃는지에 대해서는 무관심하다는 것이다. 웃고 있어도 눈물이 나는 경우도 많다.

그녀의 삶에 대한 농담은 그런 농담을 하게 만드는 세상의 진담을 끌어오기 위한 제의다. 어쩌면 그녀가 진정으로 외우고 싶은 주문은 "살아가는 것은, 진지한 일이다. 비록 모양틀 안에서 똑같은 얼음으로 얼려진다 해도 그렇다. 살아가는 것은 엄숙한 일이다"일 수도 있다. 그녀는 그런 진지함으로 소설을 애타게 부르고 있는 것은 아닐까.

명백히 부도덕한 오해

은희경은 스스로 웃지는 않으면서 남에게 이처럼 거대한 농담을 건네는 불편한 작가다. 자신의 연기에 독자들이 속기를 바라기 때문이다. 이런 그녀의 위악성은 자신이 그러하듯이 삶 자체가 독자들을 속이거나 골탕을 먹인다는 사실을 제발 알아달라는 충정에서 나온 것이라는 데에 그 진정성이 있다.

그녀의 소설에 쓰이는 농담은 자신이 사랑하는 것을 비웃으면서 여전히 그것을 사랑하게 해주는 가역 반응을 일으키게 만든다. 이런 반응을 통해 진지함에 면역이 생기게 해줌으로써 그녀는 진지함이 약점으로 작용하는 것을 막아준다. 그녀에게 가장 무서운 적은 무거움 혹은 연민이기 때문이다. 그래서 그녀의 농담은 삶의 무게를 들어 올리는 지렛대가 되고 그 습기를 막는 방부제가 된다. 그녀의 소설에서 유발되는 웃음이 불행함이나 슬픔에 대한 모욕인 이유도 여기에 있다.

그러나 사람들은 그녀의 진의를 제대로 파악해주지 않는다. 그동안 그녀가 너무 농담을 자주 그리고 훌륭하게 해왔기 때문이다. 그녀는 자신의 농담이 호랑이를 쫓아내는 곶감이 되기를 바랐지만, 거짓말쟁이 양치기 소년의 늑대가 되어버린 것이다. 이제 사람들은 그녀의 농담이 진담임을 믿으려 하지 않는다. 그래서 호랑이 같은 삶의 폭력성을 이기는 부드러운 무기로 존재하기 힘들게 되었다. 이것이 그녀의 소설이 지닌 최대의 비극이다.

하지만 그렇기 때문에 더더욱 그녀의 소설에서 쓸쓸함을 느끼지 않고 독기를 느끼거나 자유를 읽지 않고 도피를 읽는 독자처럼 '명백히 부도덕한 오해'에 빠진 사람은 없을 것이다. 사실 그녀가 자신의 소설을 읽는 독자들에게 진정으로 주고 싶은 선물은 삶이 '알만 하다'거나 어떤 때는 '알보다 더 크다'고 느끼는 착각을 통해 만만한 세상을 살아갈 수 있게 하는 힘이었을 수 있다. 때문에 그녀에게는 위악보다 위선이 오히려 부도덕한 일이 된다. 위선은 아무것도 괴롭히지조차 못하면서 그 어떤 것도 생산해내지 못하기 때문이다.

이런 위대한 농담과 초라한 현실, 선보다 착한 위악과 악보다 못한 위선을 통해 은희경이 삶에서 건져낸 비밀들로 소란스러운 것이 그녀의 소설이다. 힘들겠지만 이런 삶의 비밀을 계속 추적하라는 부탁의 뜻으로 그녀가 좋아하는 밀란 쿤데라의 말을 그녀에게 선물로 준다.

"사람의 어리석음은 모든 것에 대한 해답을 갖는 데서 오고, 소설의 지혜는 모든 것에 대한 질문을 갖는 데서 온다."

역시 삶은 풀 수 없는 비밀이다. 은희경이 이 사실에 대해 기뻐하고 있다는 것은 비밀이 아니다.

---

* 본문에서 " "로 표시된 부분은 은희경의 소설이나 말을 인칭과 어미, 시제를 문맥에 맞게 고쳐서 인용한 것입니다. 작가 은희경의 의식은 소설의 몸에 해당하는 텍스트 자체를 통해 가장 잘 드러난다는 생각에서 이를 재구성해 보았습니다. 글의 흐름상 구체적인 출전은 밝히지 않았습니다.

그가 좋아하는 것과
싫어하는 것

수필가 **심정섭**

작은 것을 사랑하는 사람

그는 길 떠나기를 좋아한다. 비행기를 타고 몇만 리를 날아가야 하는 긴 여행도 좋아하고, 스쳐 지나가는 창밖 풍경 때문에 기차 타기도 좋아하고, 서울에서 한두 시간 거리의 시골길을 기웃거리기도 좋아한다. 집에서 몇 발자국 떨어져 있는 둑길에 산보하기도 좋아한다. 먼 길 떠나기 전에, 아니, 집 밖을 나서기 전에는 반드시 볼일을 보아야 하는 그는 화장실이 딸린 호텔 방을 좋아한다. 중간 정도의 호텔에는 방마다 욕실과 화장실이 딸려 있지 않은 프랑스 같은 곳에서 그를 위해 호텔을 잡으려면, 경제적으로 무리가 되더라도 별 세 개가 표시된 호텔 정도는 예약을 해두어야 그의 얼굴에 엷은 미소가 고이는 것을 구경할 수가 있다.

그는 모양내기를 좋아한다. 그런 면에는 무관심한 듯 보이지만, 내심으로는 베레모도 한번 써보고 싶고, 반백의 머리에 중절모를 올려놓고 싶어 하기도 한다. 다만 남들의 눈치가 보여 실행에 옮기지 못할 뿐이다. 잿빛 윗도리와 회색 머리칼이 잘 어울린다는 점원의 아부에도 "저자가 뭔 옷을 사 입느냐고 흉보는 거요?" 하며 찔끔하는 그다. 그는 타인의 시선을 싫어한다. 혹은 타인의 시선을 의식하는 자기 자신을 싫어하는지도 모른다.

그는 작은 것을 사랑하고 그 작은 것들을 키우고 정들이고 가꾸는 것을 좋아한다. 하찮은 데서 시작된 우정에 소중한 뿌리를 내리려 하고, 연약한 화초와 가엾은 강아지에 정성을 들인다. 그는 처음부터 큰 것은 좋아하지 않는다. 또 작았던 것들도 무럭무럭 자라서 무성해지면 그것에 기울였던 애정이 사그라든다. 밀림처럼 버티고 선 고무나무는 그의 집에서 어디론가 이사를 가야 한다. 그래서 그의 집에는, 언제나 돌 틈에 숨어서 기를 못 펴는 석란이 제격이다. 다행히도 그의 부인은 크다고 할 수 없고, 그의 딸은 한참 동안은 앙증맞게 작은 채로 있을 것이다. 아마도 그의 눈에는 영원히 작은 채로 남아 있을 것이다.

그는 수많은 질곡 속에 갇혀 답답해할 이 땅의 아이들에게 "이 세상을 마음대로 날아다니며 많은 것을 구경하거라" 하고 축복해줄 만큼 어린아이들을 좋아한다. 그러나 그 어린아이들이 놀이터에서 내는 금속성의 소음과 그들을 야단치는 사나운 어머니들의 목소리는 싫어한다. 또 그 어린이들이 치는 재미없는 피아노 소리와 위층에서 바닥을 쿵쿵 울리며 뛰어노는 소리를 싫어한다. 그 소리들 때문에 그는 때로는 광인의 흉내를 내서 아이들을 주변에서 쫓아버리기도 하며, 1층에서 살다가 아예 꼭대기 층으로 이사를 가기도 한다.

그는 예의라는 말을 좋아한다. 예의범절을 지킨다는 형식에서가 아니라 인간과 인간, 자연과 인간, 사물과 인간, 이 세상에 존재하는 모든 것들이 맺어야 할 온당한 관계를 예의라는 말로 표현하는 것이다. 그것은 말하자면 도리 같은 것이고, 추한 세상이 되지 않기 위해서 지켜야 할 최소한의 규범으로, 논어·맹자를 잘 모르는 그가 생각해낸 그럴듯한 삶의 전거인 셈이다. 보신탕은 맛있게 먹는 것이 예의고, 강아지는 잘 키우는 것이 예의다. 그는 상대편에서 보내온 예의에는 마땅히 예의로 답하고, 예의가 아닌 것에 대해서도 역시, 속으로는 화를 내면서도, 예의로 답한다. 자신이 예의를 잃기는 싫기 때문이다.

만약 추상적인 것으로나 실체적인 것으로 전라도적인 것이 있다고 한다면, 그는 누구보다도 전라도적인 사람이고, 또 누구보다도 전라도적인 것을 좋아한다. 그렇기 때문에 전라도 사람이면서 서울 사람 같거나, 전라도 사람이 전라도에 대한 예의를 잃는 것을 싫어한다. 그가 판소리와 남도창을 좋아하는 것이나 한량의 풍모가 여실하다거나 하는 것들은 모두 그가 애초부터 고향의 땅과 밭두렁 논두렁에 맺은 약속으로 인해 빚어진 일들이다. 그러한 그지만 누가 동향인끼리의 터무니없는 친밀감을 강요하기라도 하는 눈치를 보이면 한달음에 멀리 달아나버린다. 도대체 예의들이 없는 것을 한탄하면서 말이다.

머뭇거릴 줄 아는 사람

그는 판소리를 좋아하고, 소싯적에는 좋아했을지 몰라도, 지금은 서양음악은 클래식이건 팝송이건 별로 좋아하지 않는다. 그러나 그리스 출신의 여자 가수 나나 무스쿠리는 좋아한다. 남들은 〈자유여 너를 위해서 노래 부른다〉라는 노래를 좋아하는데도, 그는 유독 〈숲속의 빈터〉라는 노래를 제일 좋아한다고 고집한다. "숲속에 나무를 베어내고 나무 그루터기만 남은 작은 공터에 햇빛이 가득하고, 그 속에서 우리는 햇빛과 같이 놀았었지……" 하는 노래의 분위기가 뜨거운 밭두렁에 엎드려서 김매는 아낙네가 우렁우렁 부르는 노랫가락의 분위기와 닮아서인가. 아무튼 그는 작은 노래 한 편을 키워서 기다란 장편을 꾸밀 것이다.

그는 말과 글을 좋아한다. 그것에 대한 애정이 없고서야 어찌 언어 자체를 분석하고 해명하는 작업을 그렇게 오랫동안 할 수 있겠는가. 처음으로 그를 만난 사람은 그의 말을 이해하기가 쉽지 않다. 이쪽이 우둔해서도 아니고, 나직한 그의 말투가 전라도 사투리여서도 아니다. 말이 말을 불러일으키는 말의 흐름을 존중하면서 이야기를 하다 보면 어느새 직선의 최단 거리는 가뭇없이 사라지고, 우회전, 좌회전이 거듭된 논리의 복선 위에 놓여 있게 된다. 그는 목적지에 빨리 도달하는 것보다 우여곡절이 따르는 과정을 좋아한다. 목적지에 이르면 오히려 그곳에 대해 흥미를 잃어버리고 말 것이다. 쉬엄쉬엄 가면서 주막에서 술 한 잔을 기울이며 안주라도 한 점 더 얻어먹을까 하고 주모에게 객쩍은 소리도 해가며 말이다. 그래서 그는 자기를 어떤 규격 속에 가둬두려는 사람들의 시도를 좋아하지 않는다. '장인 정신', '이야기꾼', '지식인 작가' 등의 범주에 그를 귀속시키려 한다면 그는 "그거이 아닌디……" 하며 섭섭해할 것이 뻔하다. 그 같은 사람과 상대하려면, 이편에서도 그처럼 복잡해지는 수밖에 없다. 그렇지 못할 경우 기진맥진해서 하품이나 하기가 십상이다.

그는 알 수 없는 사람이다. 열 길 물속은 알아도 한 길 사람

속은 모른다는 일반론에서라거나, 인간은 스핑크스의 수수 께끼 같은 존재라는 이야기에서가 아니라 그 자신 속에 많은 모순이 공존하고 있기 때문이다. 꿈꾸기를 좋아하면서도 늘 깨어 있다. 꿈을 꾸는 자기 자신과 그 꿈의 내용과 꿈을 꾸게 만드는 현실을 요모조모 따져 보아야 하는 까닭에 그는 깨어 있는 꿈을 꾸는 것이다. 그런가 하면 비몽사몽간에 그는 음모 를 꾸미기를 좋아한다. 음모라고 하면 컴컴한 구석이 연상되 지만, 그가 주로 생각해서 만들어내는 일은 저녁을 집에서 먹 을 것인가, 밖에서 먹을 것인가, 주말에는 남한산성이라도 한 번 올라가 볼 것인가, 누구를 꾀어내어 술이라도 빼앗아 먹을 것인가 하는 하찮은 일들이다. 그러느라고 머리카락이 은빛 이 되었다고 한다.

그는 술을 좋아한다. 특히 입가심으로 마시는 맥주 한 잔을 좋아한다. 지금까지 마신 술의 양을 맥주 한 잔으로 상쇄시켜 버리고, 마치 술은 꼭 한 잔밖에 마시지 않았다는 식의 그 나 름의 궤변을 부인에게 납득시키기 위해서다. 아니, 오히려 한 잔의 여유를 사랑하기 때문인지도 모른다. 하루 종일, 혹은 대여섯 시간 동안 함께 놀다가 헤어지는 사람들에게 "이대로 는 섭섭하니 차나 한잔합시다" 하고 잡아끄는 그에게는 머뭇 거림의 따뜻함이 있다. 헤어질 때는 이제 남은 볼일이 없으니

갈 일밖에 없다는 듯 등을 돌리고 가는 사람의 뒷모습에서 느껴지는 폭력에 비하면 아파트 엘리베이터 문이 다 닫힐 때까지 그 틈새에 얼굴을 디미는 작별법은 자못 눈물겨운 데가 있다. 한 잔의 술, 한 잔의 차를 좋아하는 그를 욕심이 많다고 할 수 있을까.

과정을 소중히 여기는 사람

그도 이 세상 모든 사람들과 마찬가지로 돈을 좋아한다. 하지만 언제나 원고료 외에 달리 돈이 생길 데가 없는 그가 돈을 좋아한들 얼마나 좋아하랴. 돈 좀 생기면 누구 불러서 맛있는 것 사 먹고 어디 놀러 갈 궁리부터 하는 것이 고작이니 애당초 부자가 되기는 틀린 일 같다.

그는 누구보다도 자유로운 직업을 가졌으면서도, 다람쥐 쳇바퀴 돌아가듯이 하는 월급쟁이처럼 시간표 짜기를 좋아한다. 아침에 그의 작업실—그의 부인은 그 방을 공부방이라고 부르는데, 공상을 공부라고 생각하는 것은 아닐는지—에 출근하고, 점심 먹고 다시 들어가서 일하다가, 저녁 6시에 퇴근하는 월급쟁이 생활인 셈인데 월급쟁이와 다른 점은 월말이 되어도 아무도 그에게 월급을 주지 않는다는 것이다. 그래도 그는 충실하게 월요일부터 토요일 낮까지 근무하고 주말이나 휴일을 꼬박꼬박 꼽아서 기다리며 살고 있다. 종당에는 흐지부지 아쉬움만 남긴 채 흘러갈 휴식에 대한 기대에 부풀어서 말이다.

그는 술집이나 식당의 여자 종업원들에게 은근하게 굴기를 좋아한다. 위풍당당하게 이것저것 음식을 주문하는 것이 아니라 주문을 받으려고 구부정하게 있는 종업원의 눈에 일단 시선을 고정시킨 다음, "오늘 회가 괜찮할까잉", "무엇이 좋것소" 하며 미풍처럼 중얼거린다. "오늘 내가 저녁을 먹고 못 먹고는 모두 아가씨, 당신 손에 달려 있소"라는 듯한 태도가 과연 먹혀들어 갔나를 알고 싶어서 그는 조바심을 치고, 연이어 상 위에 놓여지는 음식이, 그의 작전이 주효했음을 알리기에 충분한 것이 되면, 그는 회심의 미소를 짓는다.

언제나 그렇듯이 그는 목표물에 관심이 있는 것이 아니라 과정을 즐기는 사람이므로, 음식의 내용보다는 예의에 어긋나지 않은 대접을 받았다는 것이 즐거운 것이다. 그는 사람들이 받들어 모시는 것을 좋아한다. 봉건 군주처럼 절대적인 신뢰와 헌신을 좋아하는 것이다. 작은 것을 좋아하는 그답게, 시키지도 않은 국 한 대접을 더 가지고 왔다든가, 주방장 몰래 김치 한 보시기라도 더 집어 왔다든가 하는 자질구레한 애정들이면 그를 감격시키기에 충분하다. 만약에 누가 그를 구체적인 금력이나 권력으로 떠받들어 모신다면 그는 그 커다란 압력을 견디지 못하고 숨어버리리라. 제 집을 등에 지고 끌고 다니다가 햇빛이 비친 풀숲에서 아침 이슬 위를 산보하는 달팽이의 유유자적함, 그 달팽이가 9년을 산다면, 그는 놀랄까. 뭐든지 다 아는 척하기를 좋아하는 그니까 그런 것쯤은 벌써 다 알고 있다는 표정일 게다.

그는 거짓말을 싫어한다. 때때로 침묵하고 우회하는 것은 거짓말을 하기 싫어서이고, 거짓을 말하지 않아도 되는 최소한의 정직성을 지키기 위해서다. 그것은 작은 것을 아끼는 그가 진실에게 보내는 예의의 작은 몸짓이리라. "잡것이 다 알아 뿌럿네." 슬머시 무안해서 바로 손 옆에 놔둔 담뱃갑을 찾느라고 부산스러운 그가 보인다.

자기에게 돌아오는
머나먼 모험

문학평론가 김종욱

'정념' 혹은 '귀기'

전경린은 1995년 동아일보 신춘문예에 〈사막의 달〉이 당선되면서 문단에 모습을 드러냈다. 그리고 본격적인 작품 활동을 시작한 지 1년 만에 중편 〈염소를 모는 여자〉로 제29회 한국일보문학상을 수상하며 문단의 주목을 받기 시작했다. 이어 1997년에는 장편《아무 곳에도 없는 남자》로 제2회 문학동네 소설상을, 1999년에 〈메리고라운드 서커스 여인〉으로 제3회 21세기문학상을, 그리고 2004년에는 〈청어〉로 대한민국소설문학상을 수상하면서 우리 시대를 대표하는 작가로 떠올랐다.

그동안 그녀가 보여준 왕성한 활동은 우리를 놀라게 했다. 단편집《염소를 모는 여자》(1996), 《바닷가 마지막 집》(1998, 《환과 멸》로 개제), 《물의 정거장》(2003)을 포함하여 장편소설 《아무 곳에도 없는 여자》(1997), 《내 생애 하루뿐인 특별한

날》(1999), 《난 유리로 만든 배를 타고 낯선 바다를 떠도네》(2001), 《열정의 습관》(2002), 《첫사랑》(2002), 《검은 설탕이 녹는 동안》(2002), 《황진이》(2004), 《언젠가 내가 돌아오면》(2006) 등을 쉴 새 없이 쏟아낸 것이다. 10년 남짓한 짧은 시간에 3권의 단편소설집과 8편의 장편소설로 폭발한 그녀의 언어들은 '정념' 혹은 '귀기'라는 수사와 함께 비평적 찬사를 받기에 모자람이 없었다. 또한 많은 미디어들과 대중들의 사랑을 받기에 충분한 것이기도 했다.

삶의 의미를 찾기 위한 위대한 모험

전경린은 등단 직후부터 지금까지 권태로운 삶을 살아가는 현대인들의 의식에 관심을 집중하고 있다. 그녀의 소설에 등장하는 인물들은 한결같이 유적流謫의 삶을 살아가는 존재들이다. 꿈을 포기한 대가로 목숨을 구걸하여 살아남은 "잡혀온 포로"(〈염소를 모는 여자〉)인 것이다. 특히 가부장적 질서 속에서 살아가야 하는 여성들의 삶은 더욱 그러하다. "첩실을 둘이나 거느리고 배 아파 낳지 않은 자식을 둘이나 더 키워내"(〈사막의 달〉)야만 하는 신산한 삶을 견뎌야만 했던 것이다.

이처럼 가부장적 질서가 한 여성에게 행사하는 사회적 폭력을 보여주기 위해서 자주 사용된 방법은 바로 등장인물에 대한 명명법命名法이다. 그녀의 여러 소설들은 타인에게 불려지는 '이름'과 내면에서 우러나오는 '본성' 간의 불일치를 서사적인 출발점으로 삼고 있다.

내 이름은 이미나. My name is MINARI. 중학생이 되어 세 번째 영어 시간쯤이었을 것이다. 아직 서로 이름도 알 수 없었던 낯선 단발머리 여자애들은 까르르 웃어댔다. 그로부터 나는 미나리로 불린다. 미나리. 스물세 살의 청년이었던 남편은 나의 별명에 열광했다. 미나리, 미나리, 미나리……. 그는 어쩌면 누군가를 향해 미나리라고 부를 수 있었기 때문에 나를 사랑한 게 아닐까? 미나리라고 부르면 쌉싸름하고 연한 이미지가 이빨 사이에서 아삭 씹힌다고 했다. 남편은 여전히 나를 미나리라고 부른다. 그것은 여자에 대한 그의 취향인지도 모른다.(《새는 언제나 그곳에 있다》)

이처럼 주인공의 삶을 결정하는 요소는 '이미나'라는 이름에서 파생된 'MINARI'라는 별명이다. 학교생활뿐만 아니라 결혼 생활에서도 '미나리'라는 이름은 결정적인 역할을 수행한다. 하지만 이렇듯 이름을 통해서 형성된 타인의 시선은 내면적 본성과는 사뭇 다르다. 다른 사람들이 '미나리'라고 부르면 "나는 유순해지는 느낌이면서 동시에 너무 작은 스웨터를 껴입고 있는 것 같은 불편한 느낌"을 받는다.

사람들이 타인과 관계를 맺으면서 가장 먼저 하는 일은 이름을 주고받는 것이다. 이때 가족 혹은 아버지에 의해서 부여된 이름은 언어 그 자체의 논리에 의해서 타인에게 독자적인 이미지를 형성한다. 그리고 대상을 표현하기 위한 도구로 멈추는 것이 아니라 대상을 규정하는 힘으로 작동하기도 한다. 〈염소를 모는 여자〉에서도 주인공의 이름은 '윤미소'이거니와, 사람들은 그녀를 만날 때마다 밝고 관대한 이미지를 연상한다. 하지만 자신의 삶이 "심란"하다고 믿고 있는 주인공에게 있어서 '미소'라는 이름은 불편하고 거추장스러우며 우스꽝스러울 뿐이다.

이름 혹은 말은 이처럼 한 개인의 내면적 본질을 드러내주기는커녕 억압하는 힘으로, 더 나아가 한 인간을 파괴하는 폭력으로 작동한다. 이름이 한 인간의 삶을 파괴하는 상징적 폭력으로 작용하는 경우를 우리는 〈환과 멸〉에서 확인해볼 수 있다. 가부장적 의식에 사로잡혀 있던 부모들은 딸 쌍둥이를 낳게 되자 한 아이에게 남자 이름을 붙여 부르고 남자처럼 키우기로 결정한다. 그 결과 남성의 역할을 떠맡았던 '진'은 끝내 자신의 정체성을 찾지 못하고 방황한 끝에 자살하기에 이른다. 여성으로 태어났음에도 불구하고 남성의 이름을 부여받았던 진의 비극적인 운명은 가부장적인 질서와 그 속에서 권력의 언어로 변질되는 언어의 상징적 폭력성을 여실히 보여주고 있는 것이다.

이렇듯 타인과의 관계를 통해서 호명된 '이미지'와 내면에서 우러나오는 '아이덴티티'와의 불일치는 전경린의 소설에 등장하는 인물들을 규정하는 근원적인 조건이라고 할 수 있다. 등장인물들은 언어를 통해서 강요된 외부적인 시선과 언어화되지 못한 채 존재하고 있는 내부적인 본성 사이에서 심각한 균열을 경험한다. 작가는 특히 정체성의 위기를 경험하는 삼십 대 여성들을 집중적으로 조명한다. 그들은 모두 아내 혹은 어머니로서의 역할만을 강요하는 가부장적 가정 공간 속에서 무의미와 권태의 늪에 빠져든다. 아내 혹은 어머니로서의 삶은 남성들에게 종속된 노예로서의 삶이며, 자신의 정체성과는 무관한 타자의 삶일 뿐이다.

그런데 가부장적 질서가 지배하는 한 평화스럽고 안온한 것처럼 보였던 일상은 존재 깊숙한 곳에서 울려나오는 내면의 목소리에 의해서 갈라지고 부서진다. "한때는 좀 더 찬란한 무엇이 되어 시간보다도 더 빨리 가리라"(《염소를 모는 여자》) 꿈꾸었던 적이 있었던 여성 주인공은 남루한 삶을 휘황 찬란한 빛으로 채색하려는 의지를 포기하지 않는다. 비록 지금은 "생의 중립국이며 완충 지대"인 국도변에 작은 가게를 내고 "콧등에 점이 박힌 고양이 한 마리"를 키우며 울타리에 나팔꽃을 심겠다는 작은 꿈을 간직하는 것조차 힘겹기만 하지만, "다른 곳으로 가버리고 싶다"를 수시로 외치고, "오히려 이 반복을 삶의 배경으로 밀어낼 수 있는 자기 속의 격정을 발휘해보라고, 반복을 잊을 수 있는 세상의 숨겨진 보석 한 가지씩을 발견해내"야 한다고, "난 나 이외의 아무것도 되고 싶지 않아. 그저 나인 채로 끝까지 가보고 싶어"라고 토로한다.

물론 여성들이 고통받고 있는 바로 그곳에서 남성들 역시 상처를 받고 있다는 사실을 간과해서는 안 된다. 남성들 역시 세계를 다 정복한다 해도 결코 도달할 수 없는 "상실한 나라를 가진 고독한 존재"(〈남자의 기원〉)들이다. 그들은 근원적인 존재인 어머니의 나라, 곧 모천에서 추방된 연어와 같다. 그래서 어미의 몸 안에서 "고통 모르는 담수어"로 살던 세상의 모든 아들들은 모천에서 추방당한 후 잃어버린 근원을 찾기 위해 타인에 대한 공격성을 드러낸다. 여성을 억압하고, 전쟁을 일으키고, 하다못해 서바이벌 게임을 통해서라도 타인에게 상처를 입힘으로써 자신의 존재 의미를 찾고 있는 것이다.

그런데 유배지에서의 고통스러운 삶을 살아가고 있다고

해도 남성과 여성의 존재 양상은 분명한 차이를 지닌다. 남성들은 언젠가 유배지에서 벗어나 자신의 숭고한 사명을 실현하기 위해 분투하는 영웅을 꿈꾼다. 하지만 여성들은 남성들과는 달리 고귀한 혈통을 지니고 있지도 못하며, 역사라든가 사회와 같은 공적 세계로부터 배제되어 있다. 따라서 여성들은 영원히 유배지에서 벗어나지 못한 채 남루한 인생을 살아가야만 할 것이다. 그런 의미에서 유배지에서의 여성은 영원히 벗어던지기 힘든 천형天刑을 짊어진 채 살아가는 것과 동일하다.

이처럼 전경린의 소설에서 삶을 무의미하고 고통스럽게 만드는 것이 무엇인지는 분명하지 않다. 여성을 질곡 속으로 몰아넣는 가부장적인 질서의 문제인지, 아니면 근대사회를 지배하는 반복적인 메커니즘 때문인지, 아니면 삶의 근원적인 조건으로서의 일상성인지를 분별하는 것은 쉽지 않다. 그것이 무엇이든 간에 무의미하고 고통스러운 일상 속에 "헛헛한 허기"가 자리 잡으면서 커다란 균열이 발생한다는 사실만큼은 분명해 보인다. 특히 여성들은 가부장적 질서가 지배하는 그곳에서 벗어나지 않는다면 이미 자신이 보아왔던 어머니의 모습처럼 타자에게 의미를 내맡긴 존재로 살아갈 수밖에 없다. 그래서 어머니를 닮지 않기 위해 어머니를 배반한다. "엄마처럼 산다면 살아볼 필요도 없으며, 심지어 자라볼 필요조차 없"(《안마당이 있는 가겟집 풍경》)다고 생각하는 것이다. 그런 점에서 소설 속의 여성 주인공들은 어머니를 살해하는 엘렉트라를 닮아간다.

이렇듯 삶의 주인이고자 하는 욕망은 일상의 삶을 지탱해오던 존재감과 안정감을 흔적도 없이 삼켜버리는 블랙홀이 된다. 꿈이라는 이름의 블랙홀 속에서 사람 사이의 관계를 유지해주던 중력도 사라지고, 모든 것은 따로따로 흩어지면서 자유로워진다. 그래서 때로는 상대방에서 치유하기 어려운 상처를 남기더라도, 때로는 근친상간이라는 파멸적인 결론에 도달하더라도, 그들은 삶의 의미를 찾기 위한 위대한 모험을 시작한다. "어느 누구의 간섭도 받지 않고 의무도 지지 않"으며, "누구에게도 감시받거나 검토당하지 않는 인생"을 위해서 악마적이고 마성적인 것에 몸을 맡기는 것이다.

마성적인 열정 앞에서 윤리적인 금기는 아무런 의미를 지니지 않는다. 열정은 맹목적이기 때문이다. 맹목적이라는 것은 단 하나의 대상만을 갈구하는 것을 의미할 터다. 그래서 열정 앞에서 현실을 지배하는 모든 윤리적인 금지와 제도적인 억압은 무의미할 수밖에 없다. 달리 말하면, 도덕이나 제도의 틀에 갇혀 살아가는 문명화된 인간들은 내면의 목소리를 애써 외면한 채 타인의 시선에 맞춰 자신을 왜곡하는 존재에 지나지 않았던 것이다. 언어 역시 마찬가지다. 내면에서 울려나오는 목소리에 따라 행동하는 인간에게 있어서 타인의 말은 모두 "풍문"(〈메리고라운드 서커스 여인〉)에 지나지 않을 것이다.

그런데 세상의 질서로부터 벗어나려는 강렬한 의지는 인간이기를 포기하는 환상적인 방식으로 표현되기도 한다. "아주 흉한 색깔의 털과 커다랗게 울부짖는 곰"(〈새는 언제나 그 곳에 있다〉)으로 변신하는 것이다. 혹은 "내가 누구인지 알고 싶"다는 욕망 때문에 보름달이 들 때면 "자신도 알 수 없는 기운에 휘말려 깊은 산속 묘지들과 계곡과 폭포 사이를 헤매"(〈달의 신부〉)는 늑대 여인이 되는 것이다. 이러한 변신을 통해서 여성은 문명이라는 이름 속에 감금되어 있던 야생적인 사고를 복원한다. 문명에 순치되기를 거부하고, 타인의 시선에 구애받지 않으며, 오직 자신의 내면의 목소리에만 귀를 기울인 채 고독한 모험을 시작하는 것이다. 그녀가 집 밖으로 걸어가는 길에 "바깥은 염탐하지 않는, 자기 내부에 틀어박힌 자의 침묵과 존재와 일체가 되어버린" '염소'가 동행하는 것은 이 때문일 것이다.

금기를 넘나드는 위험한 열정

전경린이 발표한 많은 장편소설들은 이렇듯 문명이 쌓아올린 제도와 관심, 그리고 금기를 넘나드는 위험한 열정을 담고 있다. 파멸이 예정되어 있는 상태에서도 그들은 자신의 몸이 지시하는 방향을 따라서 멈춤 없는 질주를 계속한다. 여성들의 몸은 더 이상 남성들의 욕망에 의해 관리되는 대상이 아니라 자신들의 열정에 따라 생동하는 주체가 된다. 그런 의미에서 전경린의 장편소설들은 치명적인 불륜의 미학으로 나아간다. 이 급진적인 욕망이 성스러운 사랑으로 승화될지 아니면 추악한 스캔들로 타락해버릴지는 모르지만, 외부의 시선과 내면의 본질 사이의 칼날 같은 경계선 위에서 펼쳐지고 있는 것이다.

몸의 열정이 지시하는 방향만을 바라보면서 위태롭게 진행되던 서사가 어느 정도 외부적인 현실과 결합하고 있는 작품이 《황진이》라고 할 수 있다. 작가는 황진이를 "첩첩히 막힌 벽과 거미줄 같은 세상의 제도와 관습과 규율을 훌쩍 뛰어넘을 줄 아는" 자유로운 영혼의 소유자로 그려낸다. 《경국대전》으로 상징되는 남성적 억압이 제도화되기 시작했던 조선 전기의 부조리한 현실에 맞서 스스로 천기賤妓의 길을 선택함으로써 영혼의 자유를 구가한 문제적 인물로 재탄생시키고 있는 것이다.

주지하듯이 황진이의 삶에 대해서 우리가 알 수 있는 정보는 매우 한정되어 있다. 개성에서 태어나 조선 중종 때 활동했다는 사실만이 알려져 있을 뿐, 출생과 성장 등에 대해서는 거의 알려지지 않은 채 빼어난 미모와 뛰어난 재능을 보여주는 일화만이 야사에 전해져 올 뿐이다. 하지만 비공식적으로 전승되고 있는 수없이 많은 이야기들은 황진이를 '조선 최고의 기생'이라는 수식어와 함께 신비화시키면서 팜 파탈로서의 이미지를 부여한다. 즉, 천마산의 지족 선사를 파계시키고 화담 서경덕을 유혹함으로써 전통적인 질서를 위태롭게 만드는 위험한 여성인 것이다.

전경린은 이렇듯 남성들의 입에 오르내리면서 왜곡된 황진이의 삶을 자신이 만난 운명에 슬퍼하거나 노여워하지 않고 사랑을 통해 자기 구원에 도달한 인간으로 재구성해낸다. 소설 속에서 그녀가 걸었던 길은 개인적인 것이라기보다는 끊임없이 반복되는 여성의 운명을 보여주는 것처럼 보인다. 생모였던 진현학금과 황진이는 서로 닮은 꼴인 것이다. 개성의 명기로 이름 높았던 진현학금은 패주 연산군의 성적 노리개가 되지 않기 위해 스스로 장님이 되어 거문고 연주에 정진한다. 그리하여 자신의 거문고 소리를 알아주는 황 진사와 운명적인 사랑을 나누지만, 신분 차이로 말미암아 딸을 정실부인에게 맡기고 아무도 모르는 곳으로 떠나고 만다. 이러한 자기희생으로서의 사랑과 열정은 황진이의 삶에서도 반복된다.

소설《황진이》를 통해 만나는 황진이는 자신의 몸을 진흙구덩이 속에 내던짐으로써 아름다운 꽃을 피우는 '연꽃'의 향기를 품고 있다. 그녀는 어머니가 눈먼 기생이었다는 사실 때문에 하루아침에 권세가의 첩실로 살아갈 수밖에 없는 서녀의 신분으로 강등당한 신분제도의 희생양이라고 할 수도 있을 것이다. 그렇지만 황진이는 자신의 육체에 새겨진 천민의 낙인을 거부하기보다는 오히려 기생으로서의 길을 선택함으로써 자신의 몸과 자신의 운명을 사랑하는 방법을 배운다. 그녀가 서얼의 차별에 붙잡혀 세상을 비관하는 이사종을 가장 뜨겁게 사랑했던 것도 이와 무관하지 않다. 이사종은 사회적 금기와 제도적 억압에 의해 죽음과도 같은 삶을 살아가다가 황진이를 만나 정신적인 재생의 길을 걷는다. 그것은 자신을 짝사랑했던 남자의 상여에 속곳을 내주어 마지막 위로를 했던 것과 다르지 않고, 전국을 유람하며 벌였던 매춘조차도 빈민을 구제하기 위한 보시布施였던 것과도 유사하다. 이렇듯 기생으로서의 황진이는 남성들에 의해서 소비되던 몸을 다른 사람들을 위해 베푸는 몸으로 탈바꿈시킨다.

제게 몸은 길과 같은 것이었습니다. 한 걸음 한 걸음 길을 밟으면서 길을 버리고 온 것처럼 저는 한 걸음 한 걸음 제 몸을 버리고 여기 이르렀습니다. 사내들이 제 몸을 지나 제 길로 갔듯이 저 역시 제 몸을 지나 나의 길로 끊임없이 왔습니다.

자기 몸을 내던짐으로써 자기 구원에 도달하고자 했던 이러한 황진이의 꿈은 자신의 몸을 소유하려는 남성들의 시선을 교란시키고 위태롭게 만든다. 기생이 되어 첫 정을 나누었던 송도 유수가 한양으로 함께 가자고 제안하는 대목에서 "소실이 되지 않으려고 기생이 되었습니다. 제가 택한 길이 아닙니다"라고 단호하게 거부하는 황진이의 모습은 바로 그것을 잘 보여준다. 그녀는 만인의 연인이 됨으로써 누구에게도 소유당하지 않았을 뿐만 아니라 천민으로서의 신분적·성적 구속에서 벗어나 자신의 육체의 진정한 주인으로서 자아를 실현할 수 있었던 것이다. 따라서 묵암을 등신불로 만들려는 지족 선사에 맞서는 행위 역시 육체적인 실존을 하찮게 여기고 정신적인 구원만을 추구하는 위선적인 관념주의자에 대한 준열한 파산 선고와 다를 바 없다.

낭만적인 작가와의 동행

전경린이 걸어가고 있는 길은 어쩌면 우리 소설이 한 번도 가보지 못한 길일지도 모른다. 염소를 앞장세우고 시작된 전경린의 모험은 여전히 현재진형형이다. 문명의 금지를 넘어선 위험한 열정은 몸을 거쳐 다시 새로운 정신의 경지로 나아가고 있다. 전경린을 따라 시작된 이 새로운 모험의 종착지에서 우리를 기다리고 있는 것이 파멸의 고통일지 혹은 환희의 기쁨일지 알지 못한다. 모든 사람들로부터 버림받은 채 처절한 고독 속에서 타인을 향한 메아리 없는 외침을 부르짖어야 할지도 모른다.

하지만 우리가 나아가야 할 길을 제시해줄 수 있는 신적인 존재가 사라진 지 너무도 오래되었다는 사실을 잊지 말자. 이성이 빛을 잃고, 필연이 사라지고, 선과 악의 구분조차 모호해져버린 시대에 우리를 인도할 수 있는 것은 오직 우리의 내면뿐이다. 로버트 브라우닝Robert Browning이 〈파라셀수스Paracelsus〉에서 말한 "나는 내 영혼을 입증하기 위해서 길을 나선다"라는 말은 전경린에게도, 우리에게도 여전히 유효하다. 그리고 영혼을 향한 충동이 너무 강렬하기 때문에, 때로는 앞뒤 살필 틈도 없이 조급하게 앞으로 걸어가고만 있는지도 모른다. 강렬해서 조급한 열정은 끝까지 갈 수 있다는 착각에 빠져 있는지도 모른다.

　이처럼 어디에서 출발하여 어디로 가고 있는지 알 수는 없지만, 우리가 서 있는 곳에서 멈추지 않고 한 발짝 움직이고 있다는 사실만으로도 충분한 의미가 있지 않을까. 시간 속에서 모든 것은 의미를 잃고 조금씩 퇴락하고 있으며, 현란했던 미래의 빛은 무미건조한 일상 속에서 날마다 초라해지고 있기 때문이다. 신의 영역에서 추방된 채 자신의 내면을 만나기 위해 무모한 여행을 떠난 이 낭만적인 작가와 동행하고 있다는 사실만으로도 우리는 행복하다.

정미경을 말한다

문학,
절규의 방

문학평론가 김미현

비보호에서의 좌회전

"당선 통지를 받고 이틀 동안 다만 기뻐했을 뿐인데 눈은 충혈되고 입술은 부르트고 혓바늘이 돋았다. 그토록 단순한 기쁨 이면에 무엇이 있었을까. 상이 주는 기쁨 속에는 바이러스가 있는 건 아닌지. 이후로는 무거움과 두려움이 늘 함께 하리라는, 기쁨보다는 뼈를 깎는 시간이 더 오래일 것이라는, 백신 없는 바이러스."

2002년《장밋빛 인생》으로 '오늘의 작가상'을 수상한 작가 정미경의 수상 소감이다. 희곡으로 1987년에 당선되었지만 남들과 비슷한 일상으로 인해 계속 글을 쓰지는 못했다. 그러나 남들과 다른 내면의 소유자였기에 계속 글을 쓰지 못하지는 못했다. 그래서 2001년에는《세계의 문학》에 단편 〈비소여인〉을 발표하며 다시 글을 쓰기 시작했다. 그 이전부터 시작을 시작했었어야 가능한 시작이었다. 그런데 어느 날 그 시작의 흔적들이 흔적 없이 사라져버렸다. 노트북에 저장되어 있던 "두 개의 장편과 열한 개의 단편, 삼십 몇 번까지 넘버링되어 있던 글 소재 모음들"(앞의 수상 소감)이 고장으로 인해 모두 없어져버린 것이다. 이런 '테러'를 당했어도 이 작가는 다시 시작했다. 다시 시작하는 것이 시작하지 않는 것보다 덜 힘들었으므로. 그렇게 해서 완성된 작품인 《장밋빛 인생》으로 '오늘의 작가상'을 받음으로써 이 작가는 제대로 다시 시작했다.

이런 일련의 과정 속에서 이 작가와 나의 관계 또한 시작되었다. 나는 이 작가가 소설가로 등단한 잡지 《세계의 문학》의 편집위원이었고, 처음 받은 상인 '오늘의 작가상'의 예심위원이었으며, 첫 창작집인 《나의 피투성이 연인》의 표지에 추천사를 썼다. 첫 장편소설인 《이상한 슬픔의 원더랜드》의 출판 전후로 몇 가지 의견을 교환하기도 했다. 이 '빈약한' 인연으로 지금 이 작가론을 쓰고 있는 것은 "선생님밖에 쓰실 분이 없다고 정미경 선생님께서 말씀하시네요"라며 출판사 측에서 전한 말 때문이다. 다른 자리에서 이어령 선생님께서 말씀하셨듯이 (인)문학에서는 'best one'이 아니라 'only one'이 되는 것이 중요하다. 만약 "선생님께서 제일 잘 써주실 거라고 하시네요"라며 원고 청탁이 들어왔다면 나는 이 글을 쓰지 못했을 것이다. 아마 작가 정미경도 이 경우의 나처럼 피하고 싶었으나 피할 수 없는, 최선의 것은 아니었지만 유일한 것이었기에 문학을 선택한 것은 아닐까라는 생각이 동시에 떠오르기도 했다. '최선'이 불가능할 때는 '차선'이 있지만, '유일한 것' 이외의 '다른 것'은 없다. 이런 절박함이 이토록 단정하고 단단해 보이는 작가를 문학의 늪에 빠지게 했을 것이다. 문학은 불수의근不隨意筋이니까.

문학에 대한 이런 열정을 지닌 작가이기에 정미경은 다음처럼 말한다. "스웨터에 주렁주렁 매달린 라벨 같은 건 잘라내고 옷을 입듯 이젠 내 작품에 매달린 이런저런 꼬리표들을 전부 떼어내고 순수하게 작품 자체로 승부하고 싶었다. 이놈의 꼬리표들. 나는 가려지고 나의 작업도 가려지고, 사람들은 꼬리표부터 집어서 읽는다. 꼬리표가 많아질수록, 라벨에 적힌 설명서가 복잡할수록 내 그림의 본질과 아우라는 가려진다는 생각은 지나친 결벽증일까."《이상한 슬픔의 원더랜드》작년 말쯤에 작가와 나눈 대화로 미루어 짐작건대 작가는 자신에게 달린 꼬리표(~의 아내, ~성향의 여성 작가, ~류의 소설 등)들 때문에 상처받았으며, 이로 인해 문학도 문학 이외의 것으로 평가받을 수 있다는 사실을 알고는 혼란스러움과 고통을 느끼는 듯했다. 그때 나는 이런 '결벽증'을 지닌 작가를 보며 그 아픔을 이해하면서도 내심 기뻤다. 문학 이외의 것에 환멸을 느낄 만큼 이 작가는 순수하게 문학적이며, 그럼에도 불구하고 살 냄새 나는 문단 내부로 한 걸음 더 가까이 들어오고 있음을 확인할 수 있었기 때문이다. 문학은 이런 분노와 좌절, 환멸까지도 견뎌야 오래도록 할 수 있는 노역券役이고, 문학도 제도의 일종일 수밖에 없기 때문이기도 하다.

물론 하나뿐인 생을 걸고 "비보호 좌회전"(앞의 수상 소감)의 핸들을 꺾어 문학 속으로 돌진해온 작가에게는 이번의 이상문학상 수상이 또 다른 꼬리표가 붙는 것처럼 느껴져 버거울 수 있을 것이다. 심지어 백신이 없는 바이러스가 다시 침투한 형국이기도 할 것이다. 하지만 지금은 본인의 컴퓨터 초기 화면으로 어떤 것을 선택했는지 모르지만,《이상한 슬픔의 원더랜드》를 쓸 당시 안전그물 없이 사백 미터 높이의 건물에서 줄을 타는 남자 필립 프티Philippe Petit의 사진을 초기 화면으로 설정할 정도라면, 그런 극단적인 치열함이 그 꼬리표를 다시 떼어내줄 것이다. 안전핀이나 배수진조차 허락지 않으려는 이 작가에게 두려움마저 느끼게 된다. 어차피 안락한 보호를 포기한 비보호의 무모함이나, 순탄한 우회전을 포기한 좌회전의 위험을 선택한 작가에게 다른 대안은 없을 것이기 때문이다. 운명이란 어떤 것을 선택하는 것이 아니라 그것밖에

선택할 수 없는 것의 다른 이름이지 않던가. 다시, 'best one'
이 아니라 'only one'이다.

절규의 방

'비보호 좌회전'으로 핸들을 꺾어 들어간 곳에 뭉크 미술관
이 있다. 그리고 '절규의 방'이 있다. 그 방에는 여러 개의 〈절
규〉가 있지만 '가짜' 〈절규〉는 없다. 그래서 이상문학상 수상
작으로 선정된 〈밤이여, 나뉘어라〉에 묘사된 이 방의 풍경을
보면 '문학의 방'에 들어와 있는 작가가 연상된다. "큰 교실만
한 그 방엔 모두 〈절규〉 시리즈로 채워져 있다. 단색 판화, 혹
은 채색 판화, 조금씩 색채의 톤이 다른 회화 작품, 연필 스케
치, 큰 〈절규〉, 작은 〈절규〉, 그리다 만 〈절규〉, 무채색의 〈절
규〉, 붉은 〈절규〉, 검은 〈절규〉, 희미한, 손바닥만 한, 고막을
찢을 듯한. 〈절규〉. ……한순간, 나 역시 그림 속의 그 사람처
럼 입을 벌리고 귀를 막고 싶다. 그 방은, 너무 날카로워 인간
의 귀에는 들리지 않는 고음역의 절규로 가득 차 있는 듯하
다."(〈밤이여, 나뉘어라〉)

이 작가에게 절규란 그림자의 외침이다. 그림자는 빛의 그
늘이다. 어둠이 있어야 가능한 것이 그림자다. 그래서 절규는
어둠의 소리다. 정미경은 좀 더 분명하고 확실한 어둠을 보기

위해 '프린트'가 아닌 '원화'를 원한다. 프린트 속에서는 원화의 어둠이 보이지 않기 때문이다. 어떤 작가가 말했듯이 어둠이 보인다는 것은 아무것도 보이지 않는 것이 아니라 어둡다는 것이 보이는 것이다. 이런 어둠은 강한 자가 아닌 연약한 자의 것이다. 그래서 못나고 남루한 사람들의 검은 내면을 들여다봄으로써 어둠을 백일하에 드러내려는 것이 이 작가의 소설관인 듯하다. 언제나 얼마쯤 기울어져 있는 자전축을 따라 돌면서 사는 지구 위에서의 삶이기에 어차피 완벽하거나 행복할 수 없다는 진실에 대한 겸허한 인정이 이루어졌을 때 가능한 일이다.

〈밤이여, 나뉘어라〉에서 주인공 '나'가 맞닥뜨린 것도 실존의 어둠이다. '나'의 "인생의 내비게이션이었고 보이긴 하지만 거리를 좁힐 수 없는 무지개"였던 P의 인생에 어둠이 깃들기 시작한 것은 아이러니하게도 자신의 인생에서 어둠이 사라져버렸음을 안 이후부터다. 너무 눈부시고 화려한 빛의 세계에만 있다 보면 더 이상 이룰 것도 없어지고 가진 것을 잃기도 어려워지는 지경이 온다. P의 그림자였던 '나'에게는 도전할 일도 있고 실패할 일도 있지만, '나'의 빛이었던 P에게는 성공의 역사나 미래만이 있다. 이런 P의 인생은 "욕망과 어리석음이 없다면 세상은 클라이맥스 없는 흑백의 무성영화"에 불과하다는 것을 증명해준다. 잘나가는 수재이자 외과 의사였던 P가 자멸의 길을 선택할 수밖에 없었던 것도 빛만 계속되는 백야白夜의 비현실성과 비인간성 때문이다.

20세기 이후로 인간의 삶에 가장 커다란 어둠을 드리운 것이 바로 '욕망'이다. 그래서 정미경은 자본주의 사회에서의 대표적 욕망인 돈이나 권력, 섹스 등의 물질적·구체적·현실적 욕망에 지속적으로 관심을 가진다. 정미경은 광고, 영화, 헬스, 방송, 연애, 명품 등에 나타나는 현대인의 쾌락과 소비의 욕망에 현미경을 들이댐으로써 사용가치보다는 교환가치, 교환가치보다는 기호가치가 점점 우세해지는 자본주의 사회의 허상을 적나라하게 파헤친다. "눈 앞의 저 빛! / 찬란한 저 빛! / 그러나 / 저건 죽음이다 // 의심하라 // 모오든 광명을"(유하, 〈오징어〉)이라고 경고했던 한 시인의 시처럼 정미경이 보기에 현대인은 자신이 잡아먹힐지도 모르고 집어등集魚燈의 찬란한 불빛을 향해 모여드는 오징어 떼와 닮았다.

이 작가의 평판작인 《장밋빛 인생》에서도 광고 세계에서 이미지나 허상이 어떻게 현실과 실재를 대체하는지가 실감나게 그려지고 있다. "사람들이 입는 건 청바지가 아니라 리바이스의 자유로움이며 들이마시는 건 담배가 아니라 말보로의 거친 마초 이미지"임을 통해 '장밋빛 인생'이라는 이미지 자체가 시뮬레이션된 시뮬라크르임을 강조한다. 진짜 같은 가짜가 진짜보다 더 리얼하게 다가오면 우리 모두 "정서적 금치산자"가 될 수밖에 없다는 것이다. 이 작가의 야심작인 《이상한 슬픔의 원더랜드》에서도 주인공 이중호는 "돈이란 종이로 만들어진 푸른 혈액이며 내 안의 신이며 혈관 속을 흐르는 붉고 끈적이는 피보다도 더 강하게 나를 지배한다"고 말하는 자본주의의 화신이다. "불의는 참아도 불이익은 못 참게 하는" 이상하고도 슬픈 원더랜드의 대표적 주민이기도 하다. 이 작가의 소설을 이전에 '도발적인 희생양들이 쓴 21세기의 고현학考現學'이라고 명명한 이유도 여기에 있다. 더 이상 생산이 아닌 소비, 결핍이 아닌 잉여, 고통이 아닌 쾌락이 문제되는 시대에 무방비적으로 노출된 개인들의 묘비명에 다름 아닌 것이 정미경의 소설인 것이다.

　하지만 이처럼 무한 욕망 시대의 이상한 슬픔에 눈 주는 정미경의 포스트리얼리즘적 소설들이 정통 리얼리즘 소설과 다른 점은 현실적인 비판 자체나 비판을 통한 대안의 모색을 추구하지 않는다는 점이다. 앞서 지적했듯이 정미경은 억압적인 체제의 단단함에 눈 주는 데에서 더 나아가 그 단단함 앞에서 패배할 수밖에 없는 연약한 개인들의 삶이나 욕망에 눈 준다. '분노'가 아닌 '연민', '대답'이 아닌 '질문'이 주조를 이루면서 패배하는 자들의 행로나 미로를 차분하게 그려 나간다. 왜 사람들은 "사는 것도 지랄 맞은데 동화마저 아파야 돼? 무조건 해피엔딩이라야 해. 난 우울한 동화 싫어"(《달은 스스로 빛나지 않는다》)라거나 "생이 이토록 누추한데 거기다 근검절약까지 할 수는 없지 않은가"(《호텔 유로, 1203》)라고 아우성치는가. 이런 그림자들의 절규에 귀 기울일 때에야 비로소 현실의 조작적 환상 자체가 아니라 그 원인을 규명하는 것, 가짜 욕망의 허구성이 아니라 절실성을 탐색하는 것, 물질의 억압성이 아니라 유혹성을 경계하는 것으로 논의를 확장시킬 수 있게 된다. 이것이 바로 리얼리즘 이후의 리얼리즘 소설인 포스트리얼리즘 소설이 지향하는 바다. 작가의 지적처럼 요즘은 촛불 시위를 하고 난 후 스타벅스에 가서 카페라테를 사먹을 수 있는 시대가 아닌가.

이처럼 '겹눈'의 시각으로 인간과 사회를 두툼하게 포착해내는 작가이기에 정미경은 스스로도 열심히 세상을 향해 울부짖는다. "대체로 사랑하는 것들에 대해서만 사람들은 우니까."(《달은 스스로 빛나지 않는다》) 우리 모두 스스로 빛나는 별이 아니라 타인과의 관계 속에서만 빛을 낼 수 있는 달에 가까우니까. 생의 이면이나 밑그림을 파헤쳐 그늘 속의 빛보다는 빛속의 그늘을, 기쁨에서조차 우러나오는 삶의 슬픔을 감식해낼 수 있는 혜안이 이 작가에게는 있다. 견디기 힘든 것은 세상의 불완전함이 아니라 불완전함에 대한 혐오나 배척임을 아는 이 작가의 소설은, 그래서 의외로 차가우면서도 따뜻하다. 눈물처럼.

문학의 정석

정미경의 소설은 수채화보다는 유화에 더 가깝다. 수채화처럼 붓질 혹은 덧칠한 흔적까지도 그대로 드러내기보다는 유화처럼 밑그림은 드러나지 않은 채 마치 처음부터 그랬던 것처럼 완성된 그림 그 자체를 일시에 보여주는 쪽이기 때문이다. 그리고 맑은 물이 아닌 탁한 기름에 물감을 풀어 그린 그림처럼 투명한 느낌이 아니라 불투명한 여운을 남기는 쪽이기에 더 그렇다. 거의 완벽에 가까운 구도나 설계, 균형 잡힌 골조骨組와 부대附帶, 속도감 있고 자연스러운 문장이나 대화, 생생한 디테일 등도 정미경 소설의 장점들이다. 잘 읽히기에 한 번 손에 잡으면 중간에 놓기가 쉽지 않을 것이다. "이 작가의 글 솜씨는 노련하다 못해 눈부시다. 그래서 때로는 이 화려함의 광도를 좀 낮추었으면 싶을 정도다"(김화영)라거나 "깔끔하면서도 속도 빠른 문장에다 성격 창조에 있어서도 신인 같지 않은 능란함이 느껴진다"(이문열)라는 평가를 받은 것도 이런 이유 때문이다.

하지만 무엇보다도 읽는 사람들을 놀라게 하는 것은 거의 전문가 수준에 육박하는 디테일의 묘사다. 정미경은 그것이 무엇이 되었든 자신이 소재 혹은 배경으로 삼는 영역에 대해서 치밀하게 취재한 후 육화시켜서 소설에 반영한다. 예를 들면 광고 기획자나 푸드스타일리스트(《장밋빛 인생》), 사진작가(〈나릿빛 사진의 추억〉), 라디오 방송작가(〈호텔 유로, 1203〉), 파생금융 종사자(《이상한 슬픔의 원더랜드》) 등의 세계가 소설의 서사나 주제에 자연스럽게 녹아들어 있다. 이 작가는 크게 생각한 것을 작게 이야기한다. 그것이 소설小說이니까. 이런 당연한 미덕이 소중하게 다가오는 것은, 이미지나 상상력, 내면을 앞세워 추상적이고 관념적인 소설이 대세를 이루는 현 상황에서 소설의 기본기에 충실한 작가의 등장이 오히려 신선하고도 소중한 측면이 있기 때문이다.

《장밋빛 인생》이 투고되었을 때 모든 심사위원들이 투고자를 전직 광고맨일 것이라고 추측했던 사실이 이를 증명해준다. 직접 체험해보지 않고서는 묘사할 수 없는 광고 제작 현장의 이야기가 나오고, 기존 여성 작가들과는 다른 주제나 문체를 보여주고 있었기 때문이다. 이처럼 '머리'만이 아니라 '발'로 뛰는 소설을 씀으로써 정미경은 여성 작가에 대한 선입견이나 편견을 없애준다. 여성 작가는 피해자로서의 여성을 강조하는 전투적인 주제를 감정적 어조로 형상화한다거나, 일상적이고 사소한 일상이나 내면의 모습을 감각적이거나 자극적인 문체로 그린다는 이전의 평가에서, 정미경의 소설은 모두 벗어나 있다. 자신만이 할 수 있는 문학을 하려는 영리한 (여성) 작가이기 때문이다. 《이상한 슬픔의 원더랜드》에서처럼 생경한 경제이론서를 독파하거나 전문가를 인터뷰하고 직접 현장에서 선물 옵션까지 해보면서 소설을 쓰는 작가는 의외로 많지 않다. 이렇게 공을 들인 결과 "트리플 위칭데이까지 장은 몇 번이나 롤러코스터를 타겠지만 6월물은 대체로 콘탱고를 유지할 것 같다"라거나 "소로스를 고유명사로 받아들이느냐, 보통명사로 받아들이느냐에 따라 프리젠테이션은 달라진다"라는 리얼한 서술이 가능했을 것이다. 기본과 부분, 서사와 주제가 뚜렷하고도 효과적으로 제시되어 있는 웰 메이드 소설에 대한 문학계의 허기를 정미경의 소설은 잘 만족시켜주고 있다.

물론 이런 특성이 '양날의 칼'로 작용하기에 너무 잘 짜여진 구도가 오히려 인공적으로 느껴질 때가 있다. 서사에 대한 강박으로 인해 익숙한 결말로 내닫거나, 너무 친절해서 상상력을 발휘할 필요가 없을 때도 있다. 그러나 치기 어린 미숙함이 젊은 감각으로 추앙되고, 현실과의 접점을 잃은 관념 소설들이 형이상학적이거나 상상력 있는 소설로 고평되는 경우가 허다한 이즈음의 소설들 속에서 정미경의 소설은 전통적이면서도 성숙한, 탈근대적 주제를 근대적인 형식에 담는 소설의 경지를 새롭게 보여주고 있다. 최소한 문학에서는 부족한 것보다는 넘치는 것이 더 유효할 수도 있음을 보여준다고도 할 수 있다. 문학은 예의를 지키면서 하는 것이 아니니까 지나치는 것이 부족함만 못하지는 않을 것이다. 문학에서는 '채우기'보다 '덜어내기'가 좀 더 쉽지 않을까라는 것이 나의 개인적인 판단이다.

이상문학상 수상자로 선정되고 나서 작가는 인터뷰에서 "막장에서 석탄을 캘 수 있을 뿐인 내게 보석을 캘 것을 기대하면서 상을 준 게 아닌가 싶어 두려움이 들었다"고 밝혔다. 그러나 다이아몬드도 광물이다. 지하 약 250킬로미터 깊이에서 고열과 고압으로 인해 탄소 원소들이 합쳐져서 만들어지는 것이 바로 다이아몬드다. 때문에 다이아몬드에 다시 비슷한 조건을 가하면 이산화탄소 가스로 변해 사라지기도 한단다. 심지어 진짜 다이아몬드는 너무 귀하기에 인조 다이아몬드가 판을 친다. 그러니 석탄과 보석, 보석과 기체, 진짜와 가짜의 차이는 작가의 내공과 연마cut의 수준이나 기술에 달려 있다고 할 것이다. 너무 단단해서 다이아몬드를 벨 수 있는 것은 다른 다이아몬드밖에 없듯이, 작가 정미경에게도 자신의 문학을 벨 수 있는 것은 자신의 또 다른 문학밖에 없는 경지에 이르기를 바란다. 모름지기 모든 일이 그렇듯이 문학에서도 내부의 적이 가장 무섭기 때문이다. 이 상이 그런 적에게 경고의 역할을 알차게 하기 바란다.

이상문학상 대상 작가를 말한다

1판 1쇄 인쇄 | 2019년 5월 9일
1판 1쇄 발행 | 2019년 5월 17일

지은이 | 김미현 · 이순원 · 하응백 외 17인

펴낸이 | 임지현
펴낸곳 | (주)문학사상
주소 | 경기도 파주시 회동길 363-8, 201호(10881)
등록 | 1973년 3월 21일 제1-137호

전화 | 031)946-8503
팩스 | 031)955-9912
홈페이지 | www.munsa.co.kr
이메일 | munsa@munsa.co.kr

ISBN 978-89-7012-927-3 (03810)

이 도서의 국립중앙도서관 출판예정도서목록(CIP)은 서지정보유통지원시스템 홈페이지
(http://seoji.nl.go.kr)와 국가자료공동목록시스템(http://www.nl.go.kr/kolisnet)에서
이용하실 수 있습니다. (CIP제어번호 : CIP2019017505)